I Libri
di
MARIA VENTURI

Maria Venturi

L'amante è finita

Rizzoli

L'amante è finita

PARTE PRIMA

Quello che un amante non riesce a decidere entro un anno, non lo deciderà mai più.

I

I diamanti sono davvero i migliori amici delle ragazze? Soltanto per quelle che amano i gioielli oppure si sentono rassicurate dal regalo sfarzoso, mi risposi mentre correvo nel vicino cucinotto accompagnata dal suono della radio. Alla vocina di Marilyn si era sovrapposto il perentorio sibilo del microonde: il pranzo è servito.

Estrassi la vaschetta monodose di lasagne scongelate e fumanti e richiusi lo sportello del fornetto: grazie, il mio gioiello sei tu. Durante i tre anni e mezzo trascorsi aspettando che Antonio si decidesse a dare uno sbocco al nostro rapporto, i miei "migliori amici" erano stati un servizio di bicchieri, una batteria di pentole in acciaio inox con doppio fondo in rame, un televisorino portatile e due tappetini scendiletto.

In ciascuno di questi suoi regali, tutti di genere esplicitamente domestico, avevo scorto un piccolo, emblematico passo verso l'illuminazione finale: Antonio era pronto per condividere la vita e una casa con me, e poco importava che fosse il suo attico o il mio monolocale. Invece, senza alcun segnale premonitore, mi lasciò tre giorni dopo avermi regalato un decoder, massimo emblema di intimità domestica.

Travasai il gelatinoso quadrato delle lasagne in un piatto e mi sedetti a tavola stupita di avere appetito. Erano passati sei mesi dalla rottura e appena quattro ore da quando, per telefono, Antonio mi aveva preannunciato le prossime nozze con una dottoressa della sua clinica. «Volevo che lo sapessi da me...»

Il temuto contraccolpo non era avvenuto. Dopo avergli fatto gli auguri, mi ero rimessa al computer per terminare una ricerca, avevo scelto col tappezziere le nuove fodere del divano ed ero passata al vicino supermercato per rifornirmi di surgelati. Era il mio giorno libero, e quelle erano le cose che mi ero proposta di fare.

Sto davvero bene, pensai incredula affondando la forchetta nelle lasagne. Antonio detestava i surgelati: forse per questo la prima cosa che acquistai quando uscì dalla mia vita fu un forno a microonde?

Il mal d'amore non esiste. Tra un boccone e l'altro mi venne in mente l'esperta sentenza di mia madre, che quando avevo sei anni lasciò mio padre per poi risposare un divorziato con due figli. Ogni volta che la pronunciava faceva seguire l'accalorata spiegazione: la verità inconfessabile è che si soffre per orgoglio, per rabbia, per interesse, per la paura di cambiare abitudini e amici! A volte soltanto perché non si ha più il partner fisso con cui andare a uno spettacolo o presentarsi a una festa... Ma mai per amore!

Questa sua sentenza aveva un sottile corollario: ci si disamora soltanto delle persone che hanno smesso di amarci! E poiché mia madre ha sempre avuto la tendenza a personalizzare, aggiungeva: non avrei mai lasciato il mio primo marito se non avesse smesso di dimostrarmi la tenerezza e la passione dei primi anni! E questo è successo perché neppure io provavo più niente per lui. Erano rimasti solo affetto e abitudini.

Che nel caso mio e di Antonio fosse accaduto proprio così? Misi il piatto ormai vuoto nel lavello e tornai nel soggiorno. Seduta sul divano cercai di ricostruire l'ormai lontana domenica dell'addio.

Stavamo guardando un film quando lui aveva distolto

lo sguardo dal televisore per posarlo su di me. «Irene, è da molti giorni che sto cercando di dirtelo...»

«Dirmi che cosa?»

Si schiarì la voce. «Siamo insieme da tre anni e...»

«Tre e mezzo», puntualizzai per colmare la sua pausa.

«Appunto. Non è onesto che ti abbia tenuto legata tanto a lungo senza darti niente.»

«Ho ventisei anni e posso aspettare.»

Ricorderò sempre che gli sorrisi, quasi intenerita da quell'inatteso soprassalto di scrupolo.

Antonio scosse la testa. «No.» Un'altra breve pausa. «Sono già stato sposato, e temo che non sarò mai pronto per impegnarmi di nuovo.»

«Un matrimonio tra ragazzi finito dieci anni fa!» protestai. «Adesso sei un uomo e...»

Capii di essermi spinta troppo oltre e feci rapidamente marcia indietro. «È comprensibile che il matrimonio ti spaventi, Antonio. Per il momento potremmo provare a convivere.»

«*Provare* che cosa? Irene, in questi ultimi mesi ho capito anche che il nostro rapporto non può funzionare... Siamo troppo diversi...» annaspò.

Sbarrai gli occhi. «Stai dicendo che vuoi lasciarmi?»

Annuì con la testa. «È da parecchi giorni che cercavo di dirtelo.»

Riandando ai ricordi di sei mesi prima, rivissi le identiche sensazioni di allora. La prima reazione fu di sbalordimento totale. «E il decoder?» proruppi.

Mi fissò per qualche istante con una espressione sorpresa e sconcertata. «Il decoder?» ripeté. «Naturalmente puoi tenerlo...»

Mi venne da ridere. Sì, questa fu la seconda reazione alla notizia che la nostra storia era finita: un raptus di ilarità. E alla rabbia contro me stessa (avevo gettato tre anni e mezzo della mia vita, che cosa c'era da ridere?) immediatamente si aggiunse quella per la sua imbecillità.

Doppiamente furiosa, strillai: «Ma che cosa hai capito? Ripigliati pure il tuo decoder! Voglio soltanto sapere perché me l'hai regalato tre giorni fa, quando già avevi deciso di andartene!».

Ci si disamora soltanto delle persone che hanno smesso di amarci. La certezza di mia madre mi ricondusse al presente e mi costrinse per la prima volta dopo sei mesi a prendere atto della verità: l'abbandono di Antonio aveva ferito soprattutto il mio amor proprio. Sin dai primi tempi si era rivelato un uomo inadatto a me: avrei dovuto lasciarlo subito. E invece mi ero intestardita in una guerra personale contro la sua immaturità e la sua indecisione. Mi erano occorsi sette mesi per convincerlo a portare nella mia mansarda, nido d'amore da cui s'involava all'alba per andare nel suo attico a vestirsi, un ricambio di biancheria e un set da barba. E dovette trascorrere un altro anno prima che si decidesse a portarvi anche due abiti e un paio di scarpe.

Quello che mi mandava in paranoia era la disimpegnata vaghezza del nostro rapporto. «Dammi tempo, non mi sento ancora pronto», continuava a ripetere. Sì, a tenermi legata a lui era stata proprio la caparbietà. *Non potevo* dichiararmi sconfitta: e alla iniziale passione si era sostituito l'afrodisiaco corpo a corpo contro la sua incapacità di decidere qualcosa.

Il nostro era stato un colpo di fulmine. Ci eravamo incontrati nella clinica privata a cui l'ex marito della seconda moglie di mio padre mi aveva segnalata subito dopo la fine del corso paramedico di logoterapista. Va' a fidarti delle prime impressioni! Antonio mi era apparso un uomo determinato e sicuro: ma soltanto perché aveva dieci anni più di me e dirigeva la clinica in cui speravo di essere assunta.

Gli bastarono dieci minuti di colloquio per darmi il posto, sei giorni per invitarmi a cena e un mese per salire a casa mia, infilarsi nel mio letto dichiarandosi pazzo di me. Come io di lui. Il graduale rallentamento di questi ritmi avrebbe dovuto farmi capire che anche io lo avevo in qualche modo impaurito o deluso.

Per tre anni e mezzo mi ero interrogata su tutto, fuorché sulla natura del sentimento che ci univa. Senza accorgermene, io esigevo decisioni e non *amore*. Lo davo per scontato, come un bene che si chiude in cassaforte. Sicuramente vi erano stati dei segnali premonitori del degrado, ma io non li avevo raccolti. A tre giorni dalla fine, ero addirittura certa che fossimo giunti all'inizio di una svolta.

Il dono del decoder mi aveva fatto sentire come Armstrong quando posò la bandierina sulla Luna: ce l'avevo fatta. Antonio si era mentalmente inserito nella realtà di una coppia e di una casa comune in cui trascorrere le serate davanti al televisore facendo un'abbuffata di film.

Sai che allegria, mi irrisi con un brivido. Come dare torto a mia madre? Non avevo proprio sofferto per la rottura. Due settimane dopo già mi chiedevo come fossi riuscita a sopravvivere alla noia di quei tre anni e mezzo. Mi ero votata alla lotta per l'espugnazione di Antonio con la concentrazione di un atleta determinato a battere un record, senza altri interessi e altri scopi all'infuori di quel traguardo. L'abbandono aveva avuto un effetto liberatorio.

La sera stessa del breve, ma esplicito discorso di commiato Antonio infilò le sue poche cose in una valigia e se ne andò. Cinque giorni dopo mi dimisi dalla sua clinica.

«Ma perché?» protestò. «Nel nostro rapporto professionale non è cambiato nulla.»

«Preferisco andarmene.»

«Proprio non capisco… Mi illudevo che ci fossimo lasciati da buoni amici, senza drammi.»

«Antonio, non insistere.»

Nel suo sguardo baluginò un lampo di aggressività. «Vuoi forse farmi sentire in colpa?»

«Assolutamente no!» Avrei ferito la sua vanità spiegandogli che il solo vuoto lasciato erano un cassetto del comò e venti centimetri di armadio. Me ne ero resa conto riprendendo possesso delle mie serate, dell'altra metà del divano su cui allungare le gambe e delle vecchie amicizie.

«Perché dovresti sentirti in colpa?» mi affrettai ad aggiungere. «Hai preso una decisione giusta, anche per me.»

«E allora perché vuoi dimetterti?»

Rimanere nella sua clinica significava continuare a vederlo: meglio il taglio netto. Antonio rappresentava ormai un attentato alla mia autostima, ma anche questa verità lo avrebbe ferito.

Approfittò della mia esitazione. «Hai paura di chiacchiere o pettegolezzi? Siamo sempre riusciti a tenere distinti vita privata e lavoro, e non credo proprio che...»

«Ho paura di me», lo interruppi folgorata dall'ispirazione: avevo trovato l'argomento vincente. Prima che mi interrompesse, proseguii spudoratamente: «Le decisioni giuste spesso sono anche dolorose. Lasciare la tua clinica è il solo modo per poter dimenticare quello che c'è stato tra noi e non soffrire di nostalgia... non essere tentata di chiederti un'altra possibilità di riprovare, ricominciare...».

L'ipotesi parve atterrirlo quanto me. «Forse hai ragione», sospirò.

Fu la mia amica Simona a segnalarmi al Poliambulatorio Igea, un centro di analisi, terapie e visite specialistiche il cui direttore sanitario era un vecchio compagno di università di suo padre. Professionalmente si trattava di un passo indietro, perché soltanto il personale impiegatizio lavorava con un contratto a tempo indeterminato: come tutti i medici e i paramedici io ero una libera professionista che usufruiva delle strutture dell'Igea per svolgere un'attività privata e in cambio versava una percentuale sul fatturato. Il mio guadagno dipendeva dal numero di pazienti che sarei riuscita ad assicurarmi.

Ma accettai senza un attimo di esitazione: sia perché avevo bisogno di lavorare, sia perché quel posto mi appariva come una nuova sfida, ben più stimolante della capitolazione di Antonio.

Il realistico commento di Simona era stato: «Male che vada, ti cercherai un altro posto».

Dopo sei mesi lavoravo ancora all'Igea. Avevo vinto una doppia sfida: non soltanto fatturavo quasi il triplo del vecchio stipendio, ma l'autostima era assurta a "picchi da delirio", per dirla come la mia amica del cuore. Il pensiero di Simona mi distolse dalle elucubrazioni sul passato.

Da settimane, ormai, non mi capitava di pensare ad Antonio neppure per caso, ed era stata soltanto la sua telefonata a risollevare quella inoffensiva ondata di ricordi. Guardai l'orologio: erano ormai trascorse cinque ore da quando mi aveva sensibilmente preannunciato le sue nozze, e ancora non ne avevo messo al corrente Simona. Se ne sarebbe offesa a morte!

Per lei amicizia significava condividere tutto, con fiducia e affetto incondizionati. «I fratelli te li danno i genitori, gli amici te li scegli», ripeteva. Io, che ero figlia unica, sin dagli anni delle elementari avevo trovato in Simona la sorella d'elezione. Eravamo identiche. Ci bastavano un'occhiata, un gesto, un brevissimo silenzio per capirci al volo: non ero mai riuscita a nasconderle nulla, né lei a me.

Forse per questo non l'avevo ancora chiamata? Per la paura che si incuneasse nel muro d'indifferenza dietro cui mi ero rifugiata dopo la telefonata di Antonio, costringendomi a buttare fuori ciò che non osavo confessare neppure a me stessa?

Accidenti, sì. Mi bruciava che un'altra donna fosse

15

riuscita in pochi mesi a far crollare le paure e le resistenze contro cui io avevo inutilmente lottato per tre anni e mezzo. La gelosia non c'entrava affatto: ero ormai disamorata e lucida, e non avrei sposato Antonio neppure se me lo avesse chiesto in ginocchio. Ma la notizia delle sue nozze improvvise mi metteva di fronte a una verità destabilizzante: lui non era visceralmente negato per la vita di coppia, ma soltanto contrario a vivere con me.

Perché? In che cosa avevo sbagliato? Dove stava la mia inadeguatezza? A quel punto tanto valeva sfogarmi con Simona.

Rispose al terzo squillo. Senza preamboli sparai la notizia: «Antonio si sposa...».

Qualche attimo di silenzio. «Si sposa? E come lo sai?»

«Me l'ha detto lui. Poco fa, per telefono. Non voleva che venissi a saperlo da altri.»

«Ah.»

Quel monosillabo mi fece capire che era spiazzata quanto me. Al punto da risparmiarmi la solita richiesta di resoconto particolareggiato: poco fa quando? Con quali parole te l'ha detto? Che voce aveva? E tu che cosa hai risposto?

«Lei è una dottoressa della sua clinica» precisai per rintuzzare il rischio di un soprassalto di curiosità.

«Gli orizzonti di Antonio sono sempre stati piuttosto limitati.»

«Chi l'avrebbe detto?» buttai lì. «Ero certa che non si sarebbe mai sposato.»

«Sbagliavi!» la voce di Simona si animò.

«Sembrava negato per il matrimonio...»

«Ma tu l'hai lavorato a dovere. Per anni lo hai contraddetto, costretto a riflettere e a mettersi in discussione. Fino a quando non è stato pronto.»

«Per sposare un'altra?» protestai.

«È un classico: succede agli uomini che non si decidono mai a chiedere il divorzio, o a sposare l'eterna fidanzata, o a legalizzare una lunga convivenza... Sfiancati da rimostranze e aut aut, alla fine rompono il legame. Ma loro malgrado hanno imparato la lezione, e sono pronti a farne tesoro quando incontrano un'altra donna. In pratica, Irene cara, hai consegnato Antonio su un piatto d'argento alla sua dottoressa!»

«Mi brucia» ammisi tra i denti.

«Non ti sei persa niente. Antonio resta comunque un uomo mediocre.»

«In questi mesi ne ho conosciuti di migliori?»

«Di meno noiosi sicuramente.»

«Come Gigi Anelli?» ridacchiai.

Rise anche Simona. «Quello è stato un esilarante incidente di percorso.»

Gigi era uno psicoterapeuta trentacinquenne che avevo conosciuto a casa di uno dei miei fratellastri subito dopo la rottura con Antonio. Mi era sembrato un uomo intelligente, affabile, di grande buonsenso. Ma ancora una volta la prima impressione si rivelò ingannevole.

Frequentandolo, mi resi conto che era una summa di piccole patologie: non saliva mai sugli ascensori, era allergico alla polvere, ai tessuti sintetici e a una incredibile quantità di alimenti, non scendeva mai dal letto o dalla macchina o da una scala usando per primo il piede sinistro, aveva un suo personale "credo" scaramantico (questo porta bene, questo porta male) e considerava il filo interdentale la più grande invenzione dell'umanità dopo la ruota.

Superato lo choc iniziale, l'igienismo, i tic e i rituali ossessivi di Gigi cominciarono a divertirmi come un film comico. Gigi si lasciava prendere in giro senza offendersi, dimostrando un senso dell'umorismo decisamente raro nei tipi come lui.

La nostra allegra amicizia finì quando Gigi, seriamente, mi comunicò che non potevamo vederci più: la mia aura lo disturbava e lo confondeva nel difficile cammino che stava da tempo percorrendo verso l'accettazione della propria omosessualità.

«Irene, ci sei?»

«Stavo pensando a Gigi Anelli. Gli ero molto affezionata. Senza volerlo, mi ha aiutata molto quando Antonio se n'è andato.»

«*Senza volerlo*: per uno psicoterapeuta non è il massimo!» Prima che potessi replicare qualcosa, cambiò subito discorso. «Stasera andiamo al cinema? C'è un film che...»

«Mi dispiace, ma stasera sono a cena da mia madre. Non posso rimandare per la terza volta.»

Le fui grata perché riattaccò risparmiandomi la solita battuta sarcastica su di lei.

II

Erano passati quasi vent'anni da quando mia madre, accompagnandomi a scuola, mi aveva detto che lei e papà si sarebbero separati.

«Avete litigato?»

«Assolutamente no!»

Qualche anno dopo avrei capito che il loro matrimonio era finito proprio per la natura accomodante e tranquilla di mio padre. La professione di notaio, che i maschi della sua famiglia esercitavano da tre generazioni e sempre nel medesimo studio, aveva negativamente esasperato le sue peculiarità: dovevo ammettere che era un uomo abitudinario e privo di fantasia. L'opposto di mia madre, una donna impulsiva, passionale, irrequieta.

Che cosa li avesse spinti a sposarsi nessuno lo capì mai, e sicuramente mio padre non avrebbe mai preso l'iniziativa della separazione. Messo però di fronte al fatto compiuto, l'accettò senza fare alcuna opposizione o rimostranza, più o meno consciamente sollevato per la fine di una convivenza estenuante.

Io rimasi a vivere con lui, ma mia madre poteva incontrarmi o tenermi con sé ogni volta che lo voleva. Superata una piccola crisi di disorientamento, mi adattai ben presto alla nuova situazione. Ero una bambina allegra e serena, e tale rimasi grazie a mio padre: la nostra vita proseguì con i rituali e gli orari di sempre, e mi rassicurò il vederlo imperturbabile e tranquillo.

Due settimane dopo che la mamma era andata a vivere per conto suo, papà fece venire da noi Iris, una sua biscugina le cui disavventure avevano appassionato il parentado come un vecchio romanzo d'appendice: il marito, un affascinante mascalzone che per dodici anni aveva vissuto di espedienti, dopo aver prelevato dalla banca tutto ciò che rimaneva, era partito per la Germania con una ricca e anziana tedesca piantandola con i due figli gemelli.

Iris, che come mio padre mai avrebbe preso l'iniziativa di separarsi, subì l'abbandono come una provvida sventura. Affidati i due ragazzini a una anziana zia, subito si mise alla ricerca di un lavoro. L'offerta di occuparsi di me e della nostra casa arrivò come un colpo di fortuna affrancandola da iniezioni a domicilio, assistenza ad anziani, lavoretti di cucito, preparazione di marmellate e di torte e quant'altro per un anno le aveva ispirato l'arte di arrangiarsi.

Con il suo arrivo la qualità della nostra vita subì un sensibile miglioramento. Licenziata la domestica che mia madre era stata incapace di guidare e riprendere, Iris mise fine a calzini spaiati, abiti dagli orli scuciti, camicie senza bottoni, biancheria colorata di rosa o di verdino a seconda dei capi con cui era stata sciattamente buttata in lavatrice.

Pulire, lustrare, cucinare era il suo modo di esprimere l'affetto che provava per noi. Come mio padre era priva di fantasia, ma aveva un approccio ingegnoso e concreto con la realtà. La sua vicinanza assecondò la mia natura di bambina socievole e gaia: i suoi rimproveri erano sempre pacati, i suoi inviti alla prudenza accompagnati da esempi pratici: se fai così, può succederti questo o quest'altro.

Mia madre, dapprima per principio e poi per il sollievo di vedermi amorosamente accudita, divenne grande amica di Iris. Fu lei a spingerla a chiedere il divorzio dal marito e a convincere mio padre a prendere con noi i suoi gemelli. «La casa è grande e Irene avrà due fratelli con cui crescere.»

Sergio e Paolo, di sette anni maggiori di me, erano già "cresciuti" e non avevamo nulla da condividere: io frequentavo la seconda elementare, loro erano alla fine della scuola media; io giocavo con le bambole e guardavo i cartoni alla tv, loro avevano la passione del calcio e della Formula Uno.

Ma la loro vicinanza ebbe un grande influsso su di me. Un po' per mostrarmi alla loro altezza e un po' per un normale processo imitativo, in breve tempo persi le tipiche leziosità delle femminucce ripudiando i vestitini ricamati, le scarpette di vernice, i golfini color pastello che tanto avevo amato. Costrinsi Iris a tagliarmi i capelli, e jeans e scarpe da tennis diventarono il mio abbigliamento irrinunciabile.

Il giorno del mio ottavo compleanno mia madre si risposò con un architetto divorziato da un'americana e volle che Iris e mio padre facessero da testimoni. Andarono in viaggio di nozze nel Nebraska, dove la ex moglie di lui si era da poco trasferita con i loro due figli, e mamma riuscì a convincerla che era molto meglio farli tornare a Milano dove erano nati, vissuti e avevano le loro radici.

Rientrarono dal viaggio di nozze con Paolo e Benedicta. «Adesso hai altri due fratelli», mamma disse presentandomeli. Iris la aiutò a trovare una brava domestica fissa e a organizzare il nuovo ménage.

Avevo undici anni quando mio padre mi disse che aveva deciso di sposare la biscugina. «Iris fa ormai parte della famiglia e sono certo che non potrei trovare una moglie migliore di lei» spiegò. Stavolta toccò a mia madre fargli da testimone. Come regalo offrì un maxi pranzo rustico nell'aia di un vecchio cascinale ristrutturato dal suo secondo marito.

I genitori della mia amica Simona rifiutarono di farla

partecipare alle nozze. Con mia grande sorpresa, lei non soltanto non contestò questo divieto, ma lo giustificò: «Voi non siete una famiglia come le altre».

Quando lo riferii a mia madre, il suo volto si contrasse in una smorfia di compatimento e d'ira. «Mi dispiace per la tua amichetta, perché è molto triste crescere con due genitori imbecilli e retrogradi come i suoi! Noi siamo una grande famiglia serena e unita, non dimenticarlo mai!»

Si trattava di una raccomandazione inutile: ero cresciuta senza avvertire alcun disagio o turbamento; vivevo in una casa dove nessuno alzava mai la voce, circondata da persone che mi amavano, e da mia madre ritrovavo la stessa atmosfera.

I primi problemi arrivarono con l'inizio delle medie, ma furono di natura scolastica: il passaggio dall'istituto privato in cui avevo frequentato le elementari alla scuola pubblica fu di per sé destabilizzante. L'unica compagna che conoscevo era Simona, ma ci misero in due banchi diversi. Ero in una classe di ventiquattro alunni, con tanti insegnanti severi che ci chiamavano per cognome e ci caricavano di compiti a casa.

Iris era allibita. «Poveri bambini, gli rubano l'infanzia!» ripeteva a mio padre. E invece di costringermi a studiare o sedersi con me al tavolino per aiutarmi, mi esortava a giocare.

La prima pagella fu catastrofica, ad eccezione del voto in italiano: ebbi l'unico ottimo della classe. Fu proprio un mio esauriente e bellissimo tema sulla famiglia (la mia allegra "famiglia allargata") ad incuriosire l'insegnante d'italiano.

Dopo la lezione, mi chiese di seguirla in sala professori e lì mi sottopose a una specie di interrogatorio: quello che avevo scritto era vero o frutto di fantasia? Da quanto tempo i miei genitori erano divorziati? Perché non vivevo con mia madre? Come erano i miei rapporti con Iris? E quelli con i miei fratellastri?

Al termine del colloquio la profe stabilì che tutte le mie difficoltà derivavano da una situazione famigliare "molto disturbata" e, d'accordo con i colleghi, decise di farmi seguire da una psicologa di sostegno.

Quando mia madre lo seppe, irruppe nella scuola e aggredì il preside e l'intero corpo insegnanti. *Disturbati* erano loro! Io ero figlia di due genitori *civilmente* e *amichevolmente* divorziati, e il mio solo problema era frequentare una scuola dove i professori non riuscivano a trasmettere interesse e amore per lo studio! Erano loro, e non io, ad avere bisogno di una psicologa che gli allargasse la mente!

Questa scenata a tutta furia ed esclamativi ebbe l'effetto di focalizzare su di me l'attenzione di tutti i docenti. Ero "un caso" da osservare come un esemplare raro, una bambina cresciuta in una situazione eccentrica e di rottura. Io stessa dovetti prenderne atto: sì, la mia era una famiglia "diversa". Ma neppure questa presa di coscienza mi suscitò alcun disagio o mi indusse ad alcun giudizio critico.

Capii anche che mia madre era diversa da tutte le altre, ma invece di *disturbarmi* questa sua unicità mi affascinava: era come avere per mamma il personaggio di un cartone o la protagonista di un film. La vedevo bellissima: cambiava continuamente il colore dei capelli, indossava delle lunghe gonne colorate, sciava e nuotava come una campionessa… Fin da bambina, mi ero sentita più spettatrice che figlia. Il suo amore per me si manifestava con regali grandiosi, vacanze spettacolari, messaggi educativi appassionatamente contraddittori: pensa con la tua testa, vivi da persona libera! Stai attenta, non fare pazzie!

A Simona non piaceva, ma col tempo glielo perdonai. Il suo solo limite erano le certezze che due genitori bigotti e uniti le avevano radicato: il matrimonio è per sempre, una donna normale non potrebbe mai vivere lontana dai figli, lasciare il marito è lecito solo se è un uomo violento, fannullone e amorale.

Mia madre, invece, aveva fatto sua una vecchia massima di Bertrand Russell: è morale ciò che rende felici noi stessi senza rendere infelici gli altri. Il suo connaturato protagonismo, unito a una viscerale avversione per i sensi di colpa, l'avevano spinta a farsi carico dell'intera "famiglia allargata". Correva per tutti. Voleva che tutti fossimo felici. Era lei a tenerci uniti e a mantenere vivi i rapporti tra figli, figliastri ed ex coniugi. Il suo unico cruccio era stato non riuscire a inserire Antonio nel clan.

Ogni volta che dovevo incontrare mia madre mi veniva istintivo riandare al passato e ricordare le cose migliori di lei, quasi avessi avuto bisogno di trovare una ragione per vederla. E purtroppo era così. Antonio, a differenza di Simona, era riuscito a coinvolgermi nella sua presa di distanza da mia madre, forse perché non mi aveva mai costretta a difenderne le scelte e l'integrità morale. Semplicemente, non sopportava la sua invadenza, le sue stravaganze, il suo protagonismo.

E alla fine anche io avevo dovuto arrendermi a questa evidenza. Continuavo ad amare mia madre, ma non ne subivo più il fascino. L'estasiata spettatrice era diventata una figlia adulta spesso infastidita da una recita sopra le righe. Le restava comunque una vasta platea: mio padre, Iris, suo marito e i figliastri stravedevano sempre per lei.

Le sette. Nel guardare l'orologio sobbalzai: mi aspettava a cena per le otto, e avevo sì e no mezz'ora per fare la doccia, truccarmi, vestirmi. Poco dopo, mentre attraversavo la città con la mia vecchia e ammaccata Seicento, mi accorsi con disappunto di aver dimenticato a casa il regalo per Benedicta. Aveva compiuto gli anni da due settimane, ma non ci eravamo ancora viste. Non mi parve il caso di tornare indietro.

Dei miei quattro fratellastri, Benedicta era stata quella che avevo sentita più vicina: non soltanto per età e perché era l'unica femmina, ma anche per l'incondizionata ammirazione che immediatamente avevo provato per lei. Benché fosse soltanto di tre anni maggiore di me, era molto più alta e sotto le magliette si scorgevano già le piccole protuberanze dei seni.

Mentre io giocavo ancora con le bambole e andavo a letto alle nove e mezzo, Benedicta godeva già dei privilegi dell'adolescenza: andava a scuola da sola, si ravvivava la bocca con il lucidalabbra, riceveva un mucchio di telefonate dai compagni, poteva stare alzata fino a tardi a guardare la televisione. Era sveglia, vivace, precocemente seduttiva.

Il suo stesso nome mi ammaliava e acuiva il mio infantile cruccio per quello, così banale, che mia madre aveva voluto darmi. Perché mi aveva chiamata Irene invece che Samantha, Jessica, o Vanessa come le mie compagne di scuola preferite?

Mi tornò improvvisamente in mente il lontano colloquio con la psicologa di sostegno. Imbarazzata e sorpresa per le sue strane domande sulla mia famiglia, d'un tratto mi rilassai. Fu quando mi chiese: «Ma non c'è proprio nulla che ti rattrista? Nulla che vorresti cambiare?».

«Oh, sì! Il mio nome!» risposi con impeto.

Mi fissò perplessa. «Il tuo nome?»

«Irene non mi piace. Vorrei chiamarmi Samantha o Jessica, come due amiche mie.»

Rifiutandosi di credere che una bambina nella mia situazione non avesse altri problemi, la psicologa continuò a indagare aggrappandosi alla dietrologia. «Forse vorresti chiamarti Samantha o Jessica perché ti piacerebbe essere come le tue amichette? Perché pensi che loro abbiano qualche cosa che tu non hai?»

Scossi energicamente la testa. «Io ho tutto! Mi piacerebbe avere il loro nome e basta.»

Soltanto quando fui più grande potei apprezzare il lato comico di quell'incontro: con la mia disarmante ingenuità avevo sferrato il più duro attacco alle sicurezze della psicologa. Ogni volta che mi capitava di ricordare l'episodio non potevo fare a meno di ridere.

Ma quel soprassalto di allegria cessò non appena arrivai a casa di mia madre. Galina, la colf ucraina, mi indicò la stanza da letto e sussurrò: «Signora molto *nervuosa*».

«Il mio patrigno non c'è?»

«Signore Michele andato da signore Tommaso.»

Tommaso era il marito di Benedicta. «È successo qualcosa?» chiesi perplessa. La cucina era buia, il soggiorno deserto e il tavolo ancora sparecchiato.

«Io non so.»

Udii giungere dalla stanza la voce concitata di mia madre, interrotta da brevissime pause. Stava telefonando a qualcuno, ma non riuscii a capire chi fosse. Accesi la luce del soggiorno e mi sedetti. Erano ormai passate le otto, e a quel punto mi sembrò evidente che non vi sarebbe stata alcuna cena. Ma perché non ero stata avvertita come gli altri?

Mia madre mi raggiunse in soggiorno un quarto d'ora dopo, quando ero ormai spazientita e sul punto di andarmene. «Benedicta se n'è andata» disse senza nemmeno salutarmi. «Ho passato un pomeriggio d'inferno e mi sta scoppiando la testa» aggiunse sedendosi di peso nella poltrona di fronte alla mia.

«Non doveva fermarsi a cena da te con...»

«Ma che cosa hai capito? Benedicta ha lasciato suo marito!»

«Stai scherzando?»

«Irene, non mettertici anche tu! Ti pare che abbia voglia di scherzare?»

«Mi sembra impossibile. Che ragioni aveva di lasciare Tommaso?»

«Se una moglie se ne va da casa, le ragioni ci sono sempre.»

La solita sentenza. «Tommaso è un bravo marito e non capisco proprio perché…»

«Parli come sua madre! Quella donna è davvero insopportabile. Mi ha tenuto mezz'ora al telefono accusando Benedicta di chissà che cosa.»

«Devi ammettere che *qualche ragione* c'è!» replicai con sarcasmo, cercando di controllare la crescente irritazione per la sua superficialità.

«Se proprio vuoi saperlo, tua sorella era in crisi da anni!»

«E allora perché otto mesi fa ha adottato una bambina?»

«Sai bene come è successo. Lei non era pronta per avere un figlio, ma quando ha visto la piccola Sara abbandonata in ospedale dalla madre si è innamorata di lei e ha fatto di tutto perché le fosse affidata. Anche Tommaso ha fatto carte false per averla.»

«Con quale cuore adesso gliel'ha portata via?» Per la prima volta pensai a mio cognato, e provai una gran pena per lui. Adorava Sara.

Mia madre mi lanciò una strana occhiata: imbarazzata? Infastidita? Dopo qualche istante di silenzio disse d'un fiato: «Non gliel'ha portata via, se n'è andata da sola».

Sbarrai gli occhi. «Ma è impazzita?»

«Irene, con tutte queste domande inutili mi stai facendo scoppiare la testa anche tu! Fino a quando la pratica dell'adozione non sarà conclusa, Sara è solo in affidamento. E Benedicta non poteva certamente portarla a New York.»

«*New York*? Mamma, che cosa è questa storia?»

Scosse la testa con un sospiro. «Tua sorella si è innamorata di un americano. Sono cose che succedono, ma io disapprovo tutta questa fretta di seguirlo e di convivere senza prima mettersi al sicuro con il matrimonio.»

«E come può sposarsi? Benedicta ha già un marito!»

«Bastava un matrimonio americano. Lì non vanno tanto per il sottile come da noi. La tua lezione con quell'Antonio non le ha insegnato niente: se un uomo non si impegna seriamente quando è al culmine della passione, non si impegnerà mai più.»

Mi trattenni dal dirle che proprio quella mattina Antonio mi aveva preannunciato le sue nozze. Il piccolo soprassalto di amor proprio era una reazione ridicola rispetto allo sbalordimento e all'angoscia che ora provavo per la fuga della mia sorellastra. Mi trattenni anche dal dirle che l'ultimo dei miei pensieri era il suo futuro con l'amante americano.

«Dov'è, adesso, Benedicta?» chiesi per riportare mia madre ai problemi del presente.

«Sull'aereo, credo. Mi ha chiamato dalla Malpensa stamattina alle undici, poco prima di imbarcarsi.»

«Da quanto tempo sapevi che aveva una relazione con un altro?»

«Da quando è cominciata. Benedicta ha sempre avuto una grande confidenza con me.» Nella sua voce vibrò una nota di orgoglio.

«E Tommaso?»

«Farlo ragionare è impossibile! Se l'è presa con me come se fossi la complice di una tresca, strillando di non avere mai sospettato nulla. Come tutti i mariti distratti, vedeva e capiva solo quello che non disturbava il suo quieto vivere.»

«Tommaso era molto legato a Benedicta» protestai.

«Come si è legati a un tappeto o a un soprammobile. Un'occhiata ogni tanto e...»

«Galina ha detto che tuo marito è andato da lui.»

«Siamo una famiglia, no? E Michele è come me, non

28

si è mai tirato indietro quando c'è un problema da risolvere.»

Il problema più serio era quello di Sara: la giovane coppia unita e "idonea" a cui era stata affidata non esisteva più, e difficilmente il giudice minorile l'avrebbe fatta adottare da un uomo in procinto di separarsi.

«Tuo marito pensa di trovare una soluzione anche per Sara?» chiesi senza riuscire a celare la mia animosità.

«La prima cosa da fare è non perdere la testa come Tommaso. Pensa che voleva chiamare il suo avvocato per chiedere alla questura di ritirare il passaporto di Benedicta! Michele si è precipitato da lui proprio per farlo desistere. La sentenza di adozione dovrebbe arrivare entro poche settimane, e il problema nemmeno si pone se Tommaso se ne sta zitto e buono. Se non glielo dice lui, come fa il giudice a sapere che Benedicta se n'è andata?»

«Ammesso che non venga a saperlo dall'assistente sociale, quando la convocherà con il marito per l'adozione salterà fuori tutto. O pensi che Tommaso possa aggirare il problema presentandosi in Tribunale con una controfigura di Benedicta?»

«Quando sarà il momento, escogiteremo qualcosa. Adesso l'importante è restare uniti. Incattivirsi contro Benedicta sputando veleno, come sta facendo sua suocera, non serve proprio a niente.»

Non serviva neppure che rimanessi ancora lì ad ascoltare i folli discorsi di mia madre.

Mezz'ora dopo, quando tornai a casa, trovai sulla segreteria telefonica un messaggio di Tommaso: mi pregava di chiamarlo a qualunque ora fossi arrivata. Questa richiesta mi sorprese, perché tra noi non esistevano né una vera famigliarità né alcuna confidenza. Benedicta me l'aveva presentato due mesi prima del matrimonio, e negli ultimi otto anni ci eravamo incontrati solamente in occasione di festività e cerimonie, ovvero le grandi ammucchiate del clan organizzate da mia madre, e di qualche invito a pranzo di mia sorella. In pratica, lo conoscevo attraverso il ruolo che mia madre gli aveva attribuito: quello del bravo e innamoratissimo marito di Benedicta.

Cercai il suo numero nella guida e lo chiamai. Rispose al secondo squillo e subito si scusò per avermi disturbata. «Volevo parlare con te. Certamente sai che cosa è successo.»

«L'ho saputo poco fa...» Tacqui imbarazzata.

«Mia moglie non ti aveva mai detto di avere una relazione?»

«Assolutamente no!» protestai, quasi. Mi resi conto in quel momento che anche per me Benedicta era una sconosciuta. Non avevamo mai condiviso qualcosa di importante, mai fatto un discorso che andasse al di là dei vestiti, delle vacanze, di un film...

«Allora non conosci il suo uomo» Tommaso disse dopo qualche istante, con voce delusa.

«Mia madre mi ha detto che è un americano.»

«Questo lo so anch'io.»

«Purtroppo non mi ha detto altro.»

«In questo caso, scusami se ti ho disturbato» sospirò.

Capii che stava per riattaccare e chiesi in fretta: «Posso fare qualcosa per te?».

«Niente, purtroppo. Speravo che tu potessi mettermi in contatto con l'uomo di Benedicta.»

«E perché?» mi sfuggì. «Scusami, non sono fatti miei» aggiunsi subito.

«Se è una persona più responsabile di mia moglie, potrei convincerlo a fare tornare a casa Benedicta. Soltanto per qualche settimana, il tempo di ottenere l'adozione di Sara. La sola cosa che adesso mi angoscia è l'eventualità di vedermela portare via.»

«È la prima cosa che ho pensato anch'io.»

«Davvero?» chiese con stupore. «A quanto pare, sei l'unica della famiglia ad esserti posta il problema della bambina.»

«Il padre di Benedicta non può aiutarti? Mi sembra un uomo…»

«Michele è stato qui fino a un'ora fa. Né lui né tua madre si rendono conto del problema. Ma lasciamo perdere.»

Cambiai subito discorso. «Sara come sta?»

«Si è addormentata adesso. Fortunatamente ha solo otto mesi e non si rende conto di niente. Per questa sera si è fermata a dormire la baby sitter, ma devo trovare al più presto una domestica che si occupi a tempo pieno di lei e della casa.»

«Posso chiedere a mia madre. Lei è bravissima, in queste cose.»

«Voglio che la tua famiglia stia fuori dai miei problemi.»

Il suo tono mi raggelò. «Mi dispiace… Veramente.»

«Mia moglie è scappata con l'amante e i tuoi genitori stanno facendo il processo a me, come se fossi stato un marito violento e ubriacone. Sono nauseato.»

«Michele non è mio padre» precisai. «E comunque l'unica colpevole è Benedicta. Come ha potuto abbandonare Sara? Non ha pensato alle conseguenze?»

«Benedicta pensa soltanto a se stessa. Scusa, ma preferisco riattaccare prima di dire cose che non vorrei.»

Dopo quella telefonata avvertii un assurdo senso di avvilimento e di mortificazione, quasi mi sentissi in colpa per quanto era accaduto. Di certo, per la prima volta mi vergognavo della mia famiglia.

III

La più giovane delle mie pazienti si chiamava Marina. Era una bambina di quattro anni nata con una palatoschisi associata a labbro leporino unilaterale. A otto mesi, quando era stato eseguito il primo intervento correttivo della malformazione, pesava cinque chili appena: la fenditura del palato e il labbro malformato le avevano provocato gravi difficoltà respiratorie e di suzione, e una infezione rinofaringea le era stata quasi fatale.

Dopo il secondo intervento Marina era tornata normale, ma soffriva ancora di gravi difficoltà nella parola: non soltanto doveva essere rieducata al linguaggio, ma bisognava correggere la sua pronuncia fortemente nasale. La madre Elena la accompagnava nel centro in cui lavoravo quattro volte alla settimana, ma le faceva eseguire a casa, tutti i giorni, gli esercizi che le avevo insegnato.

Era una donna paziente e infaticabile. Non l'avevo mai sentita lamentarsi, mai vista perdersi d'animo, anche se Marina subiva ancora le conseguenze della malformazione definitivamente corretta soltanto due anni prima: era una bambina sottopeso, irritabile, introversa. Su consiglio del pediatra la madre aveva provato a mandarla all'asilo, ma la difficoltà di linguaggio, la gracilità fisica e l'aggressiva selvatichezza con cui la piccola respingeva ogni approccio si erano rivelati ostacoli insormontabili. Non soltanto Marina non era riuscita a sbloccarsi, ma il tentativo di inserimento l'aveva resa ancor più chiusa e scorbutica.

A quattro mesi dall'inizio della terapia rieducativa, i progressi erano appena percettibili perché Marina si spazientiva e si deconcentrava facilmente rifiutando di ripetere gli esercizi fonetici e di seguire ciò che a voce e coi gesti le spiegavo.

Ma sua madre, a differenza di altri genitori impazienti o ansiosi, invece di protestare per la lentezza del recupero sottolineava con ottimismo i sia pur piccoli segnali di miglioramento. Quanto a me, non demordevo. Con il passare delle settimane si era creato tra noi un rapporto di confidenza e di affetto.

Spesso mi invitava a cena a casa sua. Io le avevo parlato della mia relazione, ormai finita, con Antonio e lei del breve legame con un uomo che, quando aveva appreso della sua gravidanza, era sparito. Ma si definiva a dispetto di tutto *fortunata*, perché aveva potuto contare sull'aiuto dei genitori. Lavorava nell'azienda di suo padre, senza il rigoroso impegno degli orari, e sua madre si occupava della nipotina quando lei era in ufficio. Avevo conosciuto anche loro: erano veramente due persone straordinarie, senza l'eccezionalità della stravaganza che contraddistingueva la mia famiglia.

Il giorno successivo alla fuga di Benedicta fu particolarmente faticoso, sia perché iniziai la terapia con tre pazienti nuovi, sia perché mi sentivo svuotata d'ogni energia. Avevo trascorso la notte insonne, combattuta tra l'indignazione per l'irresponsabilità della mia sorellastra, l'amarezza per l'incoscienza di mia madre e l'angoscia per Tommaso e la bambina.

L'ultimo appuntamento era con Marina. Arrivò alle sei accompagnata dalla madre, quando ormai ero sfinita. Elena se ne accorse subito e mi impose fermamente di rimandare la seduta. Mentre la piccola giocava col suo peluche nella saletta d'attesa, le raccontai brevemente quanto era accaduto.

Non si mostrò né sbalordita né indignata per il comportamento della mia sorellastra. «L'amore materno non è obbligatorio» commentò alla fine «e quella donna evidentemente ne è priva.»

«Non capisco perché ha voluto a tutti i costi avere l'affidamento della povera Sara» dissi per la terza volta in quelle ultime ventiquattro ore.

«Forse perché era una bella neonata o forse perché aveva bisogno di un nuovo interesse per sentirsi meno annoiata.»

«Ma è terribile!» protestai.

«Mi stupisco solamente che l'assistente sociale, lo psicologo e il giudice l'abbiano ritenuta una madre idonea.»

«Non è andata proprio così…»

A quel punto dovetti raccontarle la storia di Sara. La madre naturale era una giovanissima ragazza brasiliana che Benedicta aveva conosciuto durante una vacanza con un gruppo di amici a Rio: faceva la cameriera nell'albergo in cui era scesa. In uno dei suoi slanci di irrefrenabile simpatia, la mia sorellastra le aveva proposto di trasferirsi in Italia. L'avrebbe aiutata lei a fare fortuna. Lourdes, la ragazza, era arrivata due mesi dopo e Benedicta, che si era già dimenticata dell'invito e della promessa, non soltanto fu costretta a ospitarla, ma anche a cercarle un lavoro.

Fu Tommaso a risolvere questo problema: la sua agenzia pubblicitaria stava cercando due ragazze e due ragazzi per il lancio di una nuova linea di jeans e convinse il responsabile a scritturare Lourdes.

Nella campagna successiva l'azienda produttrice la volle come unica testimonial: Lourdes divenne in poche settimane un volto popolarissimo e, otto mesi dopo il suo arrivo in Italia, poté finalmente prendere in affitto una casa e mantenersi senza problemi. Benedicta ne fu, in ugual misura, soddisfatta e sollevata: la coabitazione con lei stava diventando insopportabile.

Per un anno non la vide più, se non in televisione e sulle pagine pubblicitarie dei giornali. Neppure Tommaso ebbe più sue notizie: ormai camminava da sola. Ma una sera, alle dieci, senza neppure preannunciare la visita, Lourdes bussò in lacrime a casa loro: era incinta di sei mesi e mezzo e tutti i contratti erano stati annullati o sospesi.

Benedicta rabbrividì quando la ragazza ammise di non sapere con certezza chi fosse il padre... Le preparò la poltrona letto nello studio e la invitò ad affrontare tutti i problemi all'indomani mattina, dopo una notte di sonno. Ma alle quattro del mattino Lourdes ebbe le doglie e Tommaso e Benedicta la accompagnarono in ospedale.

Sara nacque alle sei, dieci settimane prima del termine, e venne subito trasportata nel reparto di neonatologia patologica. Lourdes, spaventata e sopraffatta da una responsabilità più grande di lei, il giorno dopo il parto tentò di scappare dall'ospedale: fu Benedicta a convincerla a riconoscere la figlia e a non fare pazzie. Sara restò in incubatrice per un mese e mezzo, attaccata al respiratore, e sua madre non andò mai a trovarla. La direzione dell'ospedale stava per denunciare lo stato di abbandono della piccola, ma Benedicta e Tommaso intervennero in tempo affermando che Lourdes era dovuta volare in Brasile per la tragica morte del padre e nel frattempo aveva affidato a loro la figlia.

Sara fu dimessa al compimento del terzo mese. Benedicta e Tommaso dovettero trascinare Lourdes quasi di forza in ospedale: la ragazza non voleva tenerla e gridava istericamente che la cosa migliore era farla adottare da una brava coppia.

«Chi può crescerla meglio di noi?» gridò a sua volta Benedicta. Liberata dalla paura e dai sensi di colpa, Lourdes si presentò nel reparto, ritirò le cartelle cliniche e portò via la figlia. La mia sorellastra e il marito la stavano aspettando nel parcheggio, dopo aver saldato i conti della degenza. Presero in consegna Sara e tornarono a casa.

Elena interruppe esterrefatta il mio lungo racconto. «Vuoi dire che non hanno mai parlato con un giudice minorile? Che *presero* Sara senza curarsi di chiederne l'affidamento?»

Annuii. «Gli era stata affidata dalla madre. Quanti bambini crescono con gli zii o i nonni o una famiglia di amici senza che i genitori avvertano il Tribunale dei minori? Secondo Benedicta, non stavano commettendo nulla di illegale. Ma mio cognato, meno incosciente di lei, desiderava che Sara diventasse loro figlia a tutti gli effetti. Si rivolse subito a un amico avvocato per avviare le pratiche dell'affidamento mirato a una adozione.

«Ma le cose erano meno semplici di quanto credesse perché, una volta che Lourdes avesse consentito a dichiarare lo stato di adottabilità della bambina, non era affatto certo che il Tribunale dei minori la avrebbe affidata a loro. A quel punto l'avvocato suggerì un compromesso temporaneo: fingere che Lourdes e la figlia coabitassero con loro. Era il solo modo per far risultare la piccola ufficialmente residente in casa di Benedicta e di Tommaso. Nel frattempo si impegnò a cercare una soluzione definitiva.»

«E l'ha trovata?»

Scossi tristemente la testa. «L'ha trovata un tragico destino: Lourdes è morta di overdose quando Sara ha compiuto quattro mesi e il giudice, fatta una sommaria indagine su Benedicta e suo marito, ha ritenuto che il "miglior bene" della bambina fosse rimanere con la coppia che si era amorosamente presa cura di lei fin dalla nascita. Entro il prossimo mese l'adozione sarebbe andata in porto: purtroppo la fuga della mia sorellastra ha rimesso tutto in discussione.»

Riferii a Elena della telefonata di Tommaso e dei tanti problemi pratici da cui era sommerso: Benedicta se n'era andata senza neppure preoccuparsi di trovare una domestica fissa che si prendesse cura del marito e della bambina.

«Forse conosco la persona giusta!» esclamò Elena. «Mia madre ha da dieci anni una bravissima donna che sta cercando un posto fisso per la sorella. Viveva con il padre, ma ora che lui è morto vorrebbe lavorare. Vuoi che mi informi?»

«Lasciami prima parlare con Tommaso. È inferocito con la mia famiglia, e ha detto esplicitamente che vuole risolvere da solo i suoi problemi.»

«Scommettiamo che accetterà al volo il tuo aiuto?» rise Elena.

Perse la scommessa: lo chiamai appena tornata a casa, e contemporaneamente al suo "pronto?" udii in sottofondo il pianto di Sara.

«Forse è un brutto momento, vuoi che ti richiami?» gli dissi.

«Sto dando da mangiare alla bambina, ti richiamo io.»

Lo fece un'ora e mezzo dopo. «Che cosa c'è, Irene?» chiese in tono sbrigativo.

Gli parlai brevemente della domestica che mi era stata segnalata da Elena, spiegandogli che aveva tutte le referenze del caso. «Se credi, posso metterti in contatto con lei.»

«Perché ti stai dando tanto da fare per me?»

«Non certamente per protagonismo o invadenza» risposi quasi villanamente. «Che tu ci creda o no, voglio soltanto darti una mano.»

«Scusa se insisto: perché? Non siamo né amici né parenti stretti.»

«Per te il *prossimo* non esiste? Se vedi qualcuno che sta male, ha fame o chiede aiuto, giri la faccia perché non è un tuo parente né un tuo amico?» Ero furiosa.

«Non sono un caso pietoso, Irene.»

«Tua moglie è scappata con l'amante e tu rischi di perdere la figlia: scusa se mi sono *impietosita*.»

«Il colpo di testa di Benedicta ha un risvolto positivo: non sarò più costretto ad avere dei rapporti con la tua insopportabile famiglia. Anche se mi sembri diversa dagli altri, ti prego di stare fuori dai miei problemi. Voglio il taglio netto con tutti voi.»

L'amarezza di Tommaso fece sbollire di colpo la mia rabbia. La mia famiglia si era comportata in modo vergognoso con lui: invece di condannare l'irresponsabilità di Benedicta e schierarsi al suo fianco, gli avevano tagliato velenosamente i panni addosso.

«Ti capisco» dissi con un sospiro.

«Non ce l'ho con te, Irene. Anzi, ti ringrazio per...»

«Lascia perdere. Se cambi idea, sai dove trovarmi.»

Tre giorni dopo mia madre mi telefonò al Poliambulatorio. Fuori di sé, mi raccontò che era andata a casa di Tommaso per abbracciare la sua nipotina e lui non l'aveva nemmeno fatta entrare. Come aveva osato? Chi si credeva di essere? Si era scordato tutto quello che la famiglia di sua moglie aveva fatto per lui? Quando Benedicta lo aveva conosciuto, era un anonimo imbrattatele, un pittorucolo spiantato! Era stato Michele a presentarlo all'agenzia di pubblicità dove ancora lavorava, mai avrebbe fatto carriera se non avesse avuto alle spalle il suocero architetto...

La feci parlare senza interromperla, avvertendo un senso di crescente desolazione: la favolosa madre della mia infanzia era in realtà una donna meschina e piena di sé.

Alla fine le dissi soltanto che i suoi rapporti con Tommaso erano un problema che non mi riguardava. E riattaccai.

Apprezzai con tutta me stessa la reazione della mia amica Simona quando le parlai di quella telefonata e ammisi di aver dovuto aprire gli occhi su mia madre. Ero pronta a una sequela di "che cosa ti avevo detto?", "come hai fatto a non capirlo prima?", "finalmente smetteremo di litigare per lei!".

Invece Simona mi lanciò un'occhiata piena di tristezza. «Alla nostra età non abbiamo più bisogno di genitori da mitizzare. E si può accettare anche una madre che non ci rassomiglia e che non ci piace.»

«La detesto. Vorrei non vederla più» dissi cupa.

«Recidi il cordone ombelicale, Irene!»

«Questo l'ho fatto da un pezzo.»

«Se fosse vero, saresti libera anche dal risentimento. Tua madre è fatta così. Te la prenderesti mai con uno zoppo, con un cieco?»

«Credevo che non la sopportassi!»

«Non sopportavo che tu non capissi i suoi limiti e facessi di tutto per avere la sua approvazione, come Benedicta.»

«La sua vera figlia è stata lei» mormorai.

«Era il suo clone!» Simona rise.

«C'è una cosa che non riesco a capire: come ha fatto Tommaso a resistere otto anni con una donna come lei?»

Il sabato successivo andai da Coin per fare alcune spese e mentre osservavo un servizio di bicchieri nel reparto dei casalinghi vidi, poco distante, la madre di Tommaso. Ricordando lo scontro che aveva avuto con la mia il giorno in cui Benedicta se n'era andata mi sentii avvampare e distolsi subito lo sguardo per cercare una via d'uscita.

Ma evidentemente mi aveva vista anche lei. «Irene!» mi chiamò mentre si avvicinava.

A quel punto, dovetti fermarmi e le rivolsi un sorriso imbarazzato. «Buongiorno, signora Carla.»

«Sono contenta di averti incontrata. Volevo proprio parlare con te.»

Il suo tono cordiale mi sorprese quanto quest'ultima affermazione. «Lei non immagina quanto sia dispiaciuta per quello che è successo» dissi in fretta.

Mi prese per un braccio. «Hai tempo di bere un caffè con me?»

«Certo…»

Uscimmo insieme e andammo a sederci in un bar poco distante. Aspettai che fosse lei a parlare, cosa che fece subito. «So che sei stata molto gentile con mio figlio, e…»

«Avrei voluto aiutarlo, ma non me l'ha permesso» la interruppi. «Non ce l'ho con lui. Io faccio parte di una famiglia con cui giustamente non vuole più avere rapporti» tenni a precisare.

«Non voglio certo metterti contro tua madre e il tuo patrigno. Dico soltanto che si sono comportati molto male con Tommaso. Ma lui sbaglia prendendosela anche con te: non sei certo responsabile di quello che fa o dice la tua famiglia.»

«Io sono *indignata*» affermai con forza. «Con Benedicta e con la mia famiglia. Purtroppo non posso troncare ogni rapporto, come suo figlio, ma le assicuro che questo mi costa una fatica enorme perché non abbiamo niente di cui parlare, niente da condividere. Ignoravo che Benedicta avesse un amante. Ero anzi certa che il suo matrimonio fosse tra i più riusciti.»

«Mio figlio è molto riservato, molto orgoglioso. Non mi ha mai detto nulla contro la moglie, ma sono certa che lo aveva profondamente deluso. Erano troppo diversi perché la loro unione potesse funzionare.»

Mi venne in mente, come in un flash, la sera in cui la mia sorellastra mi aveva presentato Tommaso. Non avevo nemmeno diciotto anni, e la prima cosa che mi colpì fu la sua bellezza: era alto, col fisico atletico, biondo come Benedicta. Insieme, sembravano una coppia di divi. Ma dopo mezz'ora provai una assurda sensazione di pena, di allarme: lui era come stregato dalla mia sorellastra. E *diversissimo* da lei.

Sentii su di me lo sguardo della donna. «Ha ragione, erano molto diversi» dissi ad alta voce.

«È ancora libera la domestica che hai proposto a Tommaso?» Carla chiese inaspettatamente.

«Non lo so. Dovrei chiederlo alla mia amica.»

«Puoi interessarti?»

«La chiamerò oggi stesso.»

«Tommaso ha preso una settimana di ferie e io ho parlato già con tre donne che mi ha mandato un'agenzia: ma nessuna mi è sembrata quella giusta.»

«La mia amica mi ha parlato molto bene di quella che ho segnalato a Tommaso. La sorella lavora da dieci anni a casa di sua madre.»

«Spero che sia ancora libera e sia disposta a venire il più presto possibile.»

«È sicura che suo figlio voglia…»

«Mio figlio si è comportato in modo infantile e ingiusto con te, ma credo proprio che l'abbia capito.»

«Comunque preferisco starne fuori: dopo essermi informata riferirò a lei.»

Elena era andata a trascorrere il fine settimana in montagna con la bambina e potei parlarle soltanto la mattina di lunedì: purtroppo quella donna non era più disponibile perché aveva trovato un posto.

Cercai sulla guida telefonica il numero della madre di Tommaso e glielo dissi.

«E adesso come faccio?» esclamò con voce quasi disperata. Mi spiegò che la baby sitter aveva trovato un lavoro a tempo pieno come bibliotecaria e lei non poteva muoversi da casa perché era immobilizzata a letto da un improvviso attacco di sciatalgia. Il problema era tanto più grave, aggiunse, perché a metà settimana suo figlio doveva assolutamente andare a Roma per incontrare un nuovo cliente dell'agenzia.

D'impulso, quasi senza rendermene conto, le dissi: «Se suo figlio è d'accordo, mentre è a Roma posso occuparmi io di Sara».

«Lo faresti davvero? Irene, non so come ringraziarti!»

Il suo sollievo attenuò solo in parte il subitaneo pentimento per la mia proposta insensata: avrei dovuto rimandare tutti gli appuntamenti e trovare una scusa plausibile con la direzione del Poliambulatorio.

«Purché si tratti soltanto di un paio di giorni» dissi debolmente.

«Tommaso partirà giovedì mattina, e venerdì in giornata sarà sicuramente di ritorno.»

«Va bene… Gli dica di telefonarmi per metterci d'accordo.»

IV

Tommaso mi telefonò quel giorno stesso: gli dispiaceva che sua madre avesse approfittato della mia gentilezza, si rendeva conto dei miei impegni di lavoro, mai avrebbe accettato di scaricarmi la responsabilità di Sara se il suo incontro con il cliente non fosse stato determinante per un contratto che la sua agenzia inseguiva da mesi.

Dal tono della sua voce capii quanto lo mortificasse il dover ricorrere al mio aiuto dopo averlo respinto con tanta veemenza. Detestai Benedicta per averlo messo in quella situazione e mi affrettai a tranquillizzarlo: per un paio di giorni potevo assentarmi dal Poliambulatorio senza problemi. E sua madre non aveva affatto approfittato di me in quanto ero stata io a proporle di occuparmi della piccola.

Tommaso doveva uscire da casa alle sei di giovedì mattina per prendere il primo volo per Roma: restammo d'accordo che sarei andata da lui la sera prima, appena lasciato il lavoro. Mi assicurò che entro venerdì sarebbe sicuramente rientrato e, prima di riattaccare, disse con voce contrita: «Devo scusarmi con te. Mi vergogno per come ti ho trattato».

«Non me la sono presa affatto. Ho capito quello che...»

«Lo so che hai capito. E devo ringraziarti anche di questo.»

Quando gli chiesi due giorni di permesso, il direttore

43

sanitario non poté negarmeli: da quando mi aveva assunto non ero mancata una sola volta e conosceva lo scrupolo con cui lavoravo. Tuttavia si mostrò contrariato, perché, tra i molti appuntamenti che avrei dovuto annullare, due erano stati fissati con nuovi pazienti che gli stavano particolarmente a cuore. Non mi era possibile riceverli con un giorno di anticipo? A quel punto non me la sentii di rifiutare e, facendo alcuni spostamenti, riuscii a inserirli nelle visite del mercoledì.

Tornai a casa alle otto e avvertii Tommaso che sarei arrivata da lui in ritardo. Ero sfinita e mi stava venendo un forte mal di testa. Dopo aver fatto una doccia fredda, presi un'aspirina e mi sdraiai un quarto d'ora sul letto. Quando mi alzai stavo molto meglio, ma avevo una faccia stanchissima. Non volendo colpevolizzare ancor più Tommaso presentandomi con l'aspetto di una vittima sacrificale, mi truccai con cura e misi sui jeans una allegra camicetta a fiori.

Può andare, pensai dandomi un'occhiata allo specchio. Avevo superato da un pezzo l'età dei complessi d'inferiorità adolescenziali, quando non riuscivo a guardarmi senza scoprire un nuovo difetto: il viso troppo tondo, la bocca troppo larga, i capelli troppo ricci, le gambe troppo corte… La verità era che avrei voluto essere alta e sottile come Benedicta, con le sue lunghe trecce bionde e i suoi grandi occhi chiari.

«Siete due bellezze diverse! Ma tua sorella sa valorizzarsi!» sentenziava mia madre, rimproverandomi perché mi ingozzavo di dolci, vestivo *orribilmente* e mi muovevo senza grazia. Scacciai il pensiero di entrambe e infilai in una sacca la biancheria e un paio di indumenti di ricambio. Mi diressi verso il telefono per chiamare un taxi: Tommaso abitava a San Siro, e con il buio mi era sempre stato difficile orientarmi in un dedalo di strade residenziali ai cui lati sorgevano ville e villette circondate da un prato all'inglese, che a me sembravano tutte uguali.

Quella di Tommaso – o meglio, di Benedicta – apparteneva a Michele che l'aveva costruita poco prima del matrimonio della figlia. A Benedicta non era stato difficile farsela intestare come regalo di nozze. Molto più difficile, invece, le era stato convincere Tommaso a rinunciare al piccolo ma funzionale appartamento che aveva trovato in affitto in corso Garibaldi, poco distante dall'agenzia di pubblicità da cui era stato appena assunto.

Quanti altri sacrifici e compromessi aveva accettato per amore della moglie?

Quando il taxi si fermò davanti alla villa, erano quasi le dieci. Prima ancora di suonare, udii lo scatto del cancello. Tommaso uscì dalla porta e percorse il vialetto d'ingresso per venirmi incontro. Prese la mia sacca e mi guidò verso l'interno ringraziandomi ancora.

«Sara dorme?»

«Da dieci minuti. Ho messo la sua culla nella mia stanza perché da un paio di giorni è raffreddata e la notte si sveglia spesso. Ma vieni, Irene.»

Aprì una porta e accese la luce. «Ti ho preparato la stanza degli ospiti, spero che starai comoda. Il tuo bagno è di fronte. Su una mensola ho lasciato bene in vista lo sciroppo per la tosse, le supposte per la febbre e il numero del pediatra, nel caso Sara ne avesse bisogno. Terrò il cellulare sempre aperto, e potrai chiamarmi in ogni momento.»

Tommaso era un padre davvero perfetto e la sua apprensione mi commosse. «Non preoccuparti» gli sorrisi «andrà tutto bene.»

«Hai già cenato?»

«No. Ma non ho fame.»

«Ho fatto portare due margherite dal Prontopizza

ed è rimasto del passato di verdure di Sara. Quello l'ho fatto io.»

Tommaso aveva apparecchiato il tavolo della cucina. Mise le pizze a scaldare e nel frattempo tolse dal frigorifero due lattine di birra. Nei ripiani vidi soltanto latte, omogeneizzati e succhi di frutta.

«Non puoi andare avanti così!» proruppi.

«Purtroppo come uomo di casa sono un disastro.»

«Dov'è finita la domestica a ore che veniva ad aiutare Benedicta?»

«Credo che abbia trovato un altro lavoro. Non veniva più da due settimane.»

Estrasse le pizze dal microonde e le mise nei piatti. Poi si sedette di fronte a me. Solo in quel momento mi accorsi che aveva il viso tirato e smagrito. La barba non rasata accentuava il colorito grigiastro.

«Dobbiamo risolvere al più presto il problema della donna» gli dissi.

«Grazie per quel *dobbiamo*.» Un breve sorriso gli illuminò il viso.

«Benedicta si è fatta viva?» chiesi impulsivamente. Subito mi detestai per quella domanda priva di tatto.

«No.»

«Scusami, Tommaso.»

Fece un gesto come a dire che non importava. «Stamattina ho telefonato a tua madre per sapere dove e come mettermi in contatto con lei. Se Benedicta non tornerà a Milano quando il giudice ci convocherà per l'adozione, Sara mi verrà sicuramente tolta. Tua madre si è rifiutata ancora una volta di darmi una mano, ma mi ha assicurato che quando sarà il momento la convincerà a presentarsi dal giudice.»

Ne dubitavo fortemente: se le fosse importato qualcosa di Sara, non l'avrebbe certamente abbandonata, pensai. Ma mi guardai bene dall'esprimergli il mio scetticismo. «Mia madre ha sempre avuto molto ascendente su di lei» commentai dopo qualche istante.

«Spero che sia così anche questa volta. Le ho spiegato chiaramente che non farò alcuna pressione per trattenerla a Milano più del necessario: il nostro matrimonio è finito e ti confesso che riprendere la vita con lei mi sarebbe impossibile. Credo che nemmeno a Sara farebbe bene crescere con una madre come Benedicta.»

La confidenza di Tommaso mi spinse a fargli una domanda che da tempo mi ponevo senza riuscire a darmi una risposta: «Se avevi un'opinione tanto negativa di tua moglie, perché non l'hai lasciata prima che lo facesse lei?».

«Non ne vedevo il motivo.» Si interruppe come a cercare le parole. Ma evidentemente non era facile. «Anche se l'amore era finito e sapevamo di esserci reciprocamente delusi, la nostra convivenza era sopportabile perché non esistevano rimostranze o litigi… Io avevo il mio lavoro, Benedicta i suoi interessi.»

«E ti bastava?»

«Volevo un figlio, e dopo l'affidamento di Sara non chiedevo altro.» Mi guardò con un sorriso amaro. «In ogni caso, non avrei mai chiesto la separazione perché "rifarmi una vita", come si dice in questi casi, non rientrava nei miei progetti. E continuo a pensarla così.»

«Potresti innamorarti ancora…»

«Non al punto di risposarmi. Il matrimonio non è un esperimento né un obbligo.»

Dalla stanza vicina giunse il pianto di Sara. Tommaso si alzò di scatto e io, dopo una breve esitazione, lo seguii. Non vedevo la piccola da quasi due mesi, e mi sembrò strano di trovarla tanto poco cresciuta: a quell'età i bambini, soprattutto se prematuri, aumentano molto rapidamente di peso.

Tommaso la sollevò e la tenne in braccio cullandola

amorosamente. «Forse ha sete» disse. Aveva il visetto lucido e i capelli madidi di sudore.

«Potrebbe avere la febbre. Hai un termometro?»

Mi porse la bambina. «Vado a prenderlo.» Tornò pochi istanti dopo tenendo in mano un astuccio. «Dovresti aiutarmi a tenerla ferma mentre le misuro la febbre.»

«Ma non hai i tamponi o l'apparecchio auricolare?»

«No… Che cosa sono?»

Benedicta avrebbe dovuto saperlo. «Due modi per prendere la temperatura in pochi secondi senza… lascia perdere.» Adagiai Sara nel letto e le allargai le piccole gambe mentre Tommaso le infilava il termometro nel sederino.

Mentre la tenevo ferma, pensai di nuovo a Benedicta: aveva mai letto un manuale o una rivista per le neomamme? Quale era stato il suo vero rapporto con Sara? Avevo l'atroce sospetto che dopo essersi incapricciata di lei avesse giocato a fare la madre come fa una bambina con la bambola. Ero certa che l'armadio di Sara fosse pieno di golfini, tutine, vestitini, mentre non lo ero affatto che esistesse una scorta di pannolini, o di medicinali d'emergenza al di là di una confezione di antipiretici o un flacone di sciroppo contro la tosse.

«Niente febbre» disse Tommaso con un sospiro di sollievo dopo aver osservato e rigirato il termometro. Alzai dal letto Sara, e la magrezza del suo corpicino mi impressionò.

Tommaso mi porse il biberon che era sul comodino. «Dalle da bere.»

Dopo qualche minuto Sara si addormentò e la deposi nuovamente nella sua culla. Tornammo in cucina e, nonostante le proteste di Tommaso, sparecchiai il tavolo e caricai la lavastoviglie, sgombrando l'acquaio dalle pentole e i piatti che vi si erano accumulati. Tommaso si accese una sigaretta.

«Non ricordavo che fumassi» osservai.

Fece per spegnerla, ma lo fermai per tempo. «Non mi disturba, finiscila pure. Volevo solo dire che…»

«Non mi hai mai visto fumare perché a Benedicta dava fastidio.»

Annuii in silenzio: conoscevo bene il salutismo, quasi maniacale, della mia sorellastra.

Quasi mi avesse letto nel pensiero, Tommaso aggiunse: «C'è un altro lato positivo anche nella nostra separazione: finalmente posso smettere di mangiare bistecche di soia, germogli di bambù e collosi spaghetti cinesi».

«Se il suo uomo non è un vegetariano, escludo che possa resistere otto anni come te» commentai. Una battuta cretina e di pessimo gusto.

Tommaso mi guardò con improvvisa freddezza. «Il mio sbaglio è stato sposarla, non "resistere". Purtroppo sia tu sia lei siete cresciute in una famiglia dove il matrimonio è una formalità, un esperimento. Per me non è così. E proprio perché so quanta fatica comporta "resistere" non intendo sposarmi mai più.»

«Non volevo offenderti.»

«Ma l'hai fatto, dandomi praticamente del succubo e del…»

«Se è per questo, mi hai offeso anche tu. Io non sono come Benedicta o come mia madre, e la famiglia in cui sono cresciuta non mi piace affatto. Purtroppo l'ho capito soltanto da poco tempo.»

«Ma a quanto pare non hai ancora capito che esistono il sacrificio, il dovere, la necessità di accettare dei compromessi.»

«La vera domanda che non ho osato farti è un'altra: come hai potuto innamorarti di una donna come Benedicta?»

«E me lo chiedi proprio tu? Se non sbaglio, era il tuo mito.»

«Solo negli anni dell'adolescenza. Ma tu ne avevi quasi trenta quando l'hai conosciuta!»

«Ventisei, per la precisione. All'epoca dipingevo e, per mantenermi, restauravo affreschi, quadri, vecchie pitture murali. Benedicta mi affascinò per la sua bellezza. Non fraintendermi, l'attrazione fisica o sessuale non c'entrava per niente. Era un'incarnazione della bellezza intesa come perfezione, armonia, purezza. Il solo guardarla mi emozionava e mi incantava. A un certo punto non riuscii a dipingere altro se non il suo corpo, il suo viso. Divenne una specie di ossessione. Purtroppo non esprimevano altro all'infuori di una perfezione formale... Cercavo "qualcosa" che non trovavo. Alla fine capii che avevo sposato una donna, non un'opera d'arte o un ideale estetico. Accantonai ogni velleità di artista e tornai coi piedi per terra. Gli anni trascorsi restaurando e dipingendo non sono stati però del tutto inutili, perché mi hanno permesso di esercitare qualche dote concreta: il buon gusto, la creatività, il senso dell'immagine. È grazie a questo che ho potuto lavorare nella pubblicità.»

Tommaso aveva spostato il discorso da Benedicta alla sua professione, e mi guardai bene dal riportarlo su di lei. Non avrei neppure dovuto rivolgergli delle domande tanto personali, costringendolo in pratica a confidarsi e a giustificarsi con una persona estranea.

«Agli inizi diffidavo di questo lavoro» Tommaso proseguì «ma col tempo ho cominciato a sentirmi mio malgrado sempre più incuriosito e coinvolto. Adesso lo trovo molto appagante, indipendentemente dalla considerazione che mi viene dimostrata e dalla nomina a direttore creativo.»

Annuii in silenzio, sollevata per il suo tono discorsivo e cordiale: evidentemente la mia invadenza non l'aveva irritato come credevo. Per non correre il rischio di dire altre cose sbagliate preferii non aggiungere altro. «È quasi mezzanotte» dissi «e domattina devi alzarti alle cinque.»

«Hai ragione, è meglio andare a letto. Purtroppo dovrai alzarti presto anche tu, perché Sara si sveglia sempre verso le sei.»

Mi mostrò l'armadietto in cui si trovavano i biscotti e gli omogeneizzati. Sull'interno dell'anta aveva scritto un promemoria con l'indicazione delle dosi e dell'orario dei pasti.

«Spero che tu non abbia problemi» mi disse. «Davvero, Irene, non so come...»

«Ti proibisco di preoccuparti e di ringraziarmi per l'ennesima volta...»

Alle quattro fui svegliata dal pianto di Sara. Mi sollevai sul letto e tesi le orecchie: il pianto non cessava. Mi alzai e raggiunsi in punta di piedi la stanza di Tommaso. Era profondamente addormentato. Presi la piccola in braccio, richiusi la porta e mi diressi verso la cucina cercando di calmarla. La cambiai, le diedi da bere e poi la portai nella mia stanza. La tenni contro di me accarezzandole la schiena e cantandole sottovoce una filastrocca. Finalmente si addormentò e la misi sul mio letto.

Mi allungai accanto a lei e la circondai con un braccio, timorosa che potesse cadere. Non avevo più sonno e rimasi immobile e a occhi aperti ascoltando i rumori della casa: il tocco del pendolo, il ronzio intermittente del frigorifero, il sibilo della pompa che metteva in moto la caldaia.

Alle cinque suonò la sveglia: Tommaso la spense al secondo squillo, ma non udii alcun movimento giungere dalla sua stanza. Evidentemente si era addormentato di nuovo. Dopo qualche minuto mi alzai e andai a bussare alla sua porta. «Tommaso, svegliati» gli dissi avvicinandomi.

Si drizzò di colpo sul letto e accese la luce. «Che ore sono?»

«Le cinque passate...»

«Mi alzo subito, grazie. Torna pure a letto.»

«Sara piangeva e l'ho portata nella mia stanza» dissi notando che aveva rivolto lo sguardo verso la culla.

«Non l'ho sentita, mi dispiace.»

«E di che cosa? Vado a farti un caffè.» Prima che potesse rispondere, andai in cucina. Rinunciai in partenza ad azionare la complicata macchina automatica che campeggiava su un ripiano. Sul lavello c'era una moka: la riempii e aspettai qualche minuto ad accendere il gas. Tommaso arrivò, già vestito, quando il caffè era appena filtrato. Gliene riempii una tazza.

«Sei un tesoro, Irene.»

«Me lo dicono tutti» sorrisi. Ma gli uomini preferiscono le stronze, aggiunsi tra me. I "tesori" spettinati, senza trucco e infagottati in un pigiama di flanella, come ero in quel momento, erano del tutto privi di sex-appeal. Riempii anche la mia tazzina, ma tre cucchiaini di zucchero non valsero a sciogliere quell'improvviso nodo di amarezza.

«Devo andare» Tommaso sospirò guardando l'orologio. «Per qualunque problema, ricordati che puoi sempre chiamarmi sul cellulare.»

Dopo che se ne fu andato, sciacquai le tazzine e svuotai la lavastoviglie che avevo caricato la sera prima. Sara dormiva ancora: ne approfittai per fare una doccia e vestirmi.

La casa era in un disordine indescrivibile, con i tappeti ricoperti di briciole, i pavimenti macchiati, i giornali sparsi ovunque e uno strato di polvere sui mobili. Sotto al divano, trovai un biberon ormai incrostato di latte. All'indomani me ne sarei andata; non potevo certo lasciare Tommaso e la figlia in mezzo a quel caos, né avevo il tempo necessario per fare una pulizia radicale.

Andai al telefono e chiamai la mia matrigna: Iris si alzava prestissimo, ed ero certa di non disturbarla. Mi rispose subito. Brevemente, le spiegai la situazione e le chiesi se quella mattina poteva mandare la sua colf a casa di Tommaso e lasciarvela per tutta la giornata.

Iris acconsentì senza problemi, dimostrando la disponibilità di sempre.

Sara si svegliò nel momento in cui riattaccavo il telefono. Dopo averla lavata e cambiata, le preparai un biberon di latte con quattro biscotti, come stava scritto nel promemoria di Tommaso.

Maura, la domestica di Iris, arrivò alle dieci. Indossò un paio di ciabatte e un grembiule che aveva portato dentro un sacchetto di plastica, spalancò le finestre e si mise subito al lavoro. Io infilai un cappottino a Sara e la portai in giardino. Era una bella giornata e il sole aveva ormai il tepore dell'avanzata primavera. Tenendo la piccola in braccio, le mostrai le gemme degli alberi, le primule disseminate sul prato, l'uccellino che beccava dentro un'aiola.

Sara seguiva con attenzione le mie parole e i miei gesti. Provai a metterla in piedi, ma mi accorsi che non riusciva ancora a tenersi dritta sulle gambette. D'un tratto scoppiò a piangere e si aggrappò a me. La ripresi subito in braccio.

Prima di mezzogiorno, feci una lista di tutto quello che mancava (in pratica, tutto) e telefonai al supermercato più vicino chiedendo la consegna a domicilio. La spesa arrivò soltanto alle quattro e Maura mi aiutò a vuotare gli scatoloni e i sacchetti. La vista del frigorifero ricolmo di cibi bene allineati sui ripiani mi allargò il cuore. Quando Maura se ne andò, la casa brillava e il senso di disagio e di estraneità che avevo avvertito fino a quel momento scomparve.

Tommaso mi chiamò mentre stavo mettendo a dormire Sara. Era la terza volta che lo faceva, e lo rassicurai nuovamente: andava tutto bene.

V

Fin da ragazzina avevo dato per scontato che un giorno mi sarei sposata e avrei avuto dei figli, ma arrivata all'età adulta la maternità era diventata un traguardo senza scadenza, affidato più al caso che alla volontà di raggiungerlo. Durante la relazione con Antonio mi era mancata soprattutto la sicurezza della stabilità: il desiderio prioritario era stato il matrimonio, non la maternità.

Dopo un giorno e una notte trascorsi con Sara, d'un tratto capivo di non essermi mai proiettata nel ruolo di madre né posta quegli interrogativi cui si dovrebbe sempre dare una risposta prima di mettere al mondo un figlio: quanto ero disposta a investire in questo ruolo? Possedevo un autentico istinto materno? Dal matrimonio volevo soltanto un compagno di vita o anche l'uomo con cui formare una famiglia?

Amavo i bambini, ma si trattava d'un sentimento epidermico: la tenerezza suscitata dalla vista di un neonato nella carrozzella, il piacere di tenere in braccio i figli dei miei fratellastri, la gioia di strappargli un sorriso. Adesso, per la prima volta, mi ritrovavo con una piccola di otto mesi da lavare, cambiare, nutrire, sorvegliare, intrattenere. Sara dipendeva da me, e la consapevolezza di questa responsabilità mi era apparsa subito enorme, al punto da condizionarmi e assorbirmi totalmente.

Mi ero dimenticata di telefonare a Simona, non avevo mai pensato ai problemi del lavoro, non avevo chiamato

Iris per ringraziarla di avermi mandato la sua domestica, non mi ero curata di leggere un quotidiano o guardare un telegiornale. Avevo parlato soltanto con Tommaso e con sua madre, ma perché erano stati loro a telefonarmi.

Potevo ancora dire che amavo i bambini? Sara mi piace, pensai curvandomi sulla sua culla. E a dispetto di tutto mi è piaciuto occuparmi di lei. Osservai il suo visetto, chiuso in una espressione impenetrabile: era come se il sonno l'avesse portata in un mondo irraggiungibile, e avvertii una sottile sensazione di inquietudine. Anche quando era sveglia, Sara mi dava talvolta questa sensazione. Forse tutti i bambini della sua età smettevano all'improvviso di osservare con curiosità ciò che li circondava per fissare il vuoto con uno sguardo lontano e assorto.

Ma lei era l'unica con cui avessi trascorso tante ore, e non potevo fare a meno di chiedermi: che cosa sta passando nella sua piccola mente? Ha paura? Devo lasciarla stare o prenderla in braccio?

Non riuscivo neppure a spiegarmi perché, qualche volta, passasse senza ragione dal riso al pianto, da uno stato di evidente beatitudine a un'improvvisa esplosione di sofferenza e di collera. Rifiutava forse la mia presenza, quella di un'estranea? Temeva che dopo la madre anche il padre l'avesse abbandonata?

Di una cosa ero certa: nessun paziente e nessuna incombenza mi avevano mai emotivamente coinvolto con tanta intensità. Se questo era l'istinto materno, io lo possedevo. Grazie a Sara, avevo capito che sarei stata profondamente appagata dal ruolo di madre.

Già mi rattristava l'idea di lasciarla: quella sera sarei stata di nuovo a casa mia e all'indomani avrei ripreso la vita di sempre. Alla tristezza del distacco si aggiunse la preoccupazione per Tommaso. Sua madre sarebbe sicuramente riuscita a trovargli la domestica di cui aveva bisogno, ma nel frattempo era solo con una bambina piccola da accudire. Tempo un paio di giorni, e polvere, briciole, piatti sporchi, contenitori di pizze, biberon sparsi avrebbero cancellato ogni traccia di ordine e di pulizia.

«Mio marito non muove un dito in casa!» affermava spesso Benedicta. Ma senza alcun tono di rimprovero: era, al contrario, quasi orgogliosa che Tommaso dipendesse totalmente da lei. «Servi un uomo se vuoi farne il tuo schiavo!» era stata la sua replica quando le avevo fatto osservare che trattava suo marito come un handicappato anziché esigere un minimo di autonomia e di collaborazione domestica.

Nonostante tutto questo, nell'emergenza Tommaso si era inaspettatamente rivelato un padre perfetto: pur nel caos, Sara veniva scrupolosamente nutrita e curata. Lui mangiava pizze e cibi in scatola, ma alla figlia preparava passati di verdura e frullati di frutta fresca.

In un soprassalto di zelo, decisi di lasciargli qualche piatto pronto. Dopo aver cambiato e dato la prima colazione a Sara, la misi nel suo infant sit e cominciai a cucinare. Attingendo alle provviste del giorno prima, preparai un minestrone, un sugo per la pastasciutta, delle scaloppine, un arrosto. Tenendo d'occhio sia la piccola sia i fornelli, telefonai a Simona.

Mi investì con una raffica di domande alle quali solo alla fine potei dare una risposta: dove ero finita? Perché tenevo il telefonino spento? Perché non ero andata a lavorare? Da dove la stavo chiamando? Il bisogno di sfogare il suo risentimento superava persino la curiosità di sapere.

E dopo che le ebbi spiegato tutto, espresse la sua disapprovazione con un altro crescendo di interrogativi ai quali aveva già risposto da sola: Tommaso non aveva nessun altro a cui chiedere aiuto? A che titolo sua madre si era rivolta a me? Potevo forse farmi carico di tutti i problemi del mondo?

Il pianto di Sara mi costrinse a tagliare corto con un

"ne riparleremo". La presi in braccio e lei posò la testina sulla mia spalla con un profondo sospiro.

Tommaso mi chiamò a mezzogiorno avvertendomi che avrebbe preso un aereo a metà pomeriggio: entro le sette contava di essere a casa. Era troppo tardi per me? Lo rassicurai: andava benissimo.

A mezzogiorno e mezzo diedi da mangiare a Sara. Più tardi, mentre faceva un riposino, travasai i cibi che avevo preparato in vaschette e contenitori e li sistemai parte nel frigorifero e parte nel freezer: per almeno una settimana, Tommaso e la piccola avrebbero avuto i pasti pronti.

Lavai le pentole, riordinai la cucina e, prima che Sara si svegliasse, riuscii anche a fare una doccia e a rivestirmi. Il bagno, quello di Benedicta, aveva una intera parete attrezzata a mensole laccate d'azzurro, ricolme di creme per il viso e per il corpo, profumi, prodotti da trucco. Sembrava di essere nel reparto cosmetici di un grande magazzino.

Uno psicologo avrebbe scorto chissà quali fragilità e insicurezze dietro una cura tanto ossessiva della propria persona, ma io conoscevo troppo bene la mia sorellastra per cadere nella trappola della patologia a tutti i costi: Benedicta era sanamente innamorata di se stessa e lucidamente consapevole del potere della sua bellezza.

Estraendo dalla mia bustina di nylon un fard, una matita per occhi e un lucidalabbra, mi venne quasi da ridere: da anni erano i miei soli prodotti da maquillage, e il loro uso era talmente famigliare e semplice che impiegavo al massimo tre minuti per truccarmi. Non usavo mai latte detergente: per sentirmi pulita, dovevo lavarmi il viso con acqua e sapone. Andavo dal parrucchiere solo per farmi tagliare i capelli, non mi ero mai iscritta a una palestra, mi pesavo sì e no una volta al mese.

Ma avevo un rapporto cordiale col mio aspetto fisico. Guardandomi allo specchio, scorgevo un viso che mi era simpatico, che mi corrispondeva. Non sarei mai riuscita a convivere con una bellezza eccezionale perché la mia natura non era adeguata né per gestirla né per affrontare una esistenza superesposta a visibilità, passioni, abbagli.

Il risveglio di Sara, segnalato da uno scoppio di pianto imperioso, mi distolse dallo specchio e da queste riflessioni. La svestii e le feci il bagnetto: Tommaso sarebbe tornato sicuramente stanco, e desideravo risparmiargli questa incombenza.

Arrivò alle sette, mentre stavo preparando la cena di Sara. Tolse la figlia dal seggiolone e la strinse tra le braccia con una tenerezza che ancora una volta mi commosse. «Non ti ha dato problemi, vero?» disse poi rivolto a me.

«Assolutamente no.»

« Sei stata brava… La trovo un fiore.»

«Adesso devo darle la pappa.»

«Posso fare io. Ho già approfittato di te, e immagino che vorrai tornare a casa.»

«Non c'è fretta.»

«Allora vado a fare una doccia. Grazie, Irene.»

«Vuoi mangiare qualcosa?»

«Lascia stare, non ho fame.»

Con infantile orgoglio aprii il frigorifero: «Ho fatto delle spese e ti ho lasciato dei piatti pronti da scaldare».

«Non dovevi…» mormorò.

La sua voce mortificata anziché mettermi a disagio mi causò uno scatto d'ira. «*Dovevo*, invece. Ho cucinato, ripulito la casa e riempito il frigorifero di scorte perché da solo non potevi farcela. Dove sta il problema? Ti costa tanto accettare che qualcuno ti dia una mano nei momenti di difficoltà?»

«Preferirei cavarmela da solo, senza disturbare gli altri.»

Avevamo già affrontato un discorso simile, e mi imposi di non replicare. Conoscevo troppo poco Tommaso per capire se questo suo atteggiamento fosse causato da uno stupido orgoglio oppure dalla incapacità di proiettarsi oltre il microcosmo della famiglia: chi ne era fuori non esisteva, era un astratto "prossimo" a cui non chiedere né dare nulla.

Di fatto, sembrava ignorare il più elementare senso di solidarietà umana. Mi offendeva che si sentisse mortificato per il mio aiuto, che lo ritenesse un "disturbo" e che mi investisse con un profluvio di "non dovevi", "mi dispiace", "non so come ringraziarti".

Tornò in cucina mentre Sara stava finendo la pappa e fu stupito per l'appetito con cui mangiava. Gli spiegai che avevo aggiunto alla minestrina mezzo cucchiaino di zucchero. «L'ho letto da qualche parte: è un piccolo trucco per abituare i bambini nell'età dello svezzamento ad accettare i sapori salati.»

«Me ne ricorderò: non ci avevo proprio pensato.»

Volle essere lui a cambiare e a mettere a letto Sara. Io lo aiutai a riportare la culla nella sua stanza da letto e dopo aver abbracciato la piccola andai a preparare la sacca infilandovi le poche cose che avevo portato. Era arrivata l'ora di ritornare a casa. Aspettai Tommaso per salutarlo.

Mi ero appena seduta, quando il telefono cominciò a squillare. Feci per alzarmi, ma Tommaso mi precedette rispondendo dall'apparecchio della sua stanza.

Mi raggiunse poco dopo, visibilmente turbato. «Domattina verrà l'assistente sociale: me ne ero dimenticato…»

Sobbalzai. «C'è qualche problema?»

«No… È la visita che fa ogni mese da quando Sara ci è stata affidata. Agli inizi veniva più spesso, ma poi si è resa conto che Sara stava bene e noi non avevamo bisogno di alcun supporto. Il problema è che non troverà Benedicta.»

«Puoi dirle che ha avuto un impegno improvviso, che è andata a assistere una parente, che...»

«E la prossima volta?»

«Tommaso, l'importante è prendere tempo. Adesso pensa a domani: non mi sembra così difficile trovare una scusa plausibile per spiegare l'assenza di tua moglie.»

Mi guardò con animosità. «Purtroppo io non so mentire e non credo affatto che rimandare un problema significhi risolverlo.»

«Nemmeno io! Ma in questo caso non hai alternative: o prendi tempo oppure nel giro di ventiquattro ore ti portano via la bambina.»

Rifletté qualche istante. «Devo telefonare a Giuseppe, il mio amico avvocato. Non posso assolutamente permettermi di fare degli errori.»

Andò nel suo studio per cercare il numero e lo chiamò da lì. Sperai con tutta me stessa che un legale lo rassicurasse e gli desse il mio stesso suggerimento. Ma quando fece ritorno in cucina capii, dal suo viso tetro, che non era andata così.

«La cosa è più complicata di quanto sembri» mi spiegò. «Il giudice minorile verrà sicuramente a sapere che Benedicta si è trasferita in America, e il fatto che io gli abbia tenuta nascosta questa circostanza lo irriterà e mi metterà in cattiva luce, pregiudicando ogni possibilità di poter tenere Sara con me...»

Si fermò con un sospiro, e mi guardai bene dal prospettargli la rosea ipotesi che in un soprassalto di coscienza e di scrupolo Benedicta rientrasse in Italia: non era di favole che aveva bisogno.

«E allora?» lo esortai a proseguire.

«Devo informare il tribunale minorile della mia mutata situazione famigliare e dimostrare che il bene di Sara è comunque rimanere con me. Il mio avvocato però ha bisogno di qualche giorno di tempo per avallare concretamente questa tesi. Potrebbe rendersi indispensabile la disponibilità di mia madre o addirittura la mia convivenza con lei, per garantire alla piccola una figura di riferimento femminile...»

Si interruppe di nuovo. Ma, subito, riprese: «Il tuo suggerimento di prendere tempo non era del tutto sbagliato: domattina alle nove chiamerò l'assistente sociale dicendole che devo portare la bambina dal pediatra e pregandola di rinviare la sua visita di una settimana. Prima di sabato prossimo, il tribunale sarà stato informato della verità. L'importante è che io, domani, non mi incontri con lei mettendomi in condizione di doverle mentire».

«Dovrai farlo comunque, inventando la visita del pediatra...»

«È solo una piccola bugia, e per telefono» puntualizzò.

«E se l'assistente sociale ti proponesse di venire a casa tua nel pomeriggio dopo la visita del pediatra?»

«Le dirò che l'appuntamento è nel primo pomeriggio...»

«In questo caso potrebbe proporti di rimandare il vostro incontro a lunedì. Se il giudice minorile l'ha incaricata di vedere Sara una volta al mese, è molto probabile che non voglia aspettare fino a sabato prossimo.»

«Non ci avevo pensato. Potrei...» Si interruppe scuotendo la testa, come se l'alternativa che si era prospettato gli apparisse inattuabile o sciocca. Seguì un silenzio che neppure io riuscii a spezzare: che cosa potevo dirgli? Solo di sperare che le mie previsioni si rivelassero infondate.

Ma nel momento stesso in cui prendevo amaramente atto della mia impotenza, ebbi come un'illuminazione. E la formulai di getto prima ancora di valutarla, quasi voce e cervello lavorassero insieme: «Potrei restare io con Sara».

Mi guardò con una espressione perplessa, ma attenta.

«Sì, mi sembra la sola soluzione possibile» mi infervorai. «Domani, quando l'assistente sociale verrà qui, sarò io a riceverla. Le dirò che sono una parente e che a causa di un vostro impegno improvviso sono venuta a fare da baby sitter alla piccola...»

Stavo parlando via via che mettevo a fuoco i particolari. Dopo qualche istante proseguii: «Tu non sarai costretto a mentire per giustificare l'assenza di tua moglie, e lei potrà vedere che Sara sta bene: è quello che le interessa, no? Non credo proprio che mi farà domande su di te e su Benedicta, e d'altra parte io non sono tenuta a sapere che il vostro matrimonio è in crisi... Tommaso, più ci penso e più mi sembra una soluzione giusta. L'assistente sociale si inferocirebbe se tu, domani, le raccontassi delle balle e poi apprendesse la verità dal giudice».

«È quello che sostiene l'avvocato. Ma tu dovresti rimanere qui ancora un giorno.»

«Domani è sabato e non lavoro. Posso fermarmi senza problemi.»

Con mio enorme sollievo non mi ringraziò né ebbe la solita reazione mortificata di chi è suo malgrado costretto a accettare un aiuto. Mi lanciò invece una strana occhiata, come se mi vedesse per la prima volta.

«Ci conosciamo da molti anni» disse infatti «e mi sembra di averti incontrato solo in questa circostanza. In realtà sei molto diversa da come immaginavo.»

«In realtà non immaginavi niente» gli rifeci scherzosamente il verso. «Per te ero la sorellastra di tua moglie, una specie di figurina nel presepe di una grande famiglia. Ma questo succede spesso. Quando incontro la fornaia fuori dal suo negozio o il cassiere fuori dalla sua banca devo fare mente locale per qualche istante prima di ricordare chi sono. Li ho memorizzati nel loro posto e nel loro ruolo, ecco tutto.»

«Non ti sembra molto triste?»

«Sarebbe impossibile coltivare un rapporto personale, umano, con tutte le persone che incontri!»

«Con me l'hai fatto.»

«L'avrei fatto anche per la fornaia e il cassiere, se li avessi visti in difficoltà. Come diceva un mio vecchio insegnante, le persone restano estranee fino a quando non hanno bisogno di niente e non ti possono dare niente.»

«Preferirei dare, piuttosto che aver bisogno.»

«È così per tutti. La vera classe si rivela nel ricevere» scherzai.

«E io ne manco: stai insinuando questo?»

«Forse non hai mai avuto l'occasione di fare qualcosa per qualcuno… Se così fosse, sapresti che la solidarietà non è eroismo, sacrificio o superiore munificenza. E proprio per questo non ti peserebbe tanto passare dalla situazione di chi dà a quella di chi riceve.»

«Grazie per la lezione» commentò piccato.

«Cominciavo a sentire la mancanza di un grazie!»

«Tu sdrammatizzi e butti tutto sul ridere.»

«Non faccio di tutti i problemi un dramma: è diverso.»

«E la mia situazione come ti sembra?»

«Dolorosissima, difficile, ma con una possibile via di uscita. Perché non ti concentri su questo?»

«Lo sto facendo. Ma non ho il paraocchi dell'ottimismo a tutti i costi e so che il peggio potrebbe accadere.»

Benché conoscessi appena Tommaso, una cosa avevo capito con chiarezza: era impossibile smuoverlo dalle sue convinzioni o semplicemente fargliele mettere in discussione dimostrando che potevano esistere altri punti di vista e altri modi di affrontare un problema. Perciò, per l'ennesima volta, lasciai cadere il discorso. «A che ora verrà l'assistente sociale?» gli chiesi.

«Dopo le nove. Appena se ne sarà andata, chiamami: non dovrebbe trattenersi più di un'ora.»

«Almeno per questo, tranquillizzati: sono certa che...»

«Irene, non sono un disfattista a tutti i costi. Per la visita di domattina non ho alcuna preoccupazione.»

VI

L'assistente sociale arrivò alle nove e mezzo, tre quarti d'ora dopo che Tommaso era uscito. Attenendomi al ruolo di prudente e responsabile baby sitter, aprii il pulsante del cancello dopo averle fatto ripetere per due volte il suo nome e socchiusi la porta d'ingresso dopo averla guardata in faccia attraverso i dieci centimetri della barra di sicurezza.

Le aprii tenendo Sara in braccio, e mi scusai con lei per averla fatta attendere. Subito dopo le spiegai che Tommaso era dovuto correre da sua madre per accompagnarla dall'ortopedico: mi dilungai sui particolari di una rovinosa caduta per evitare che mi facesse domande su Benedicta.

Fortunatamente non me ne fece, dando per scontato che la moglie avesse seguito il marito. Mi qualificai, genericamente, come una zia di Sara e invitai l'assistente sociale ad accomodarsi in soggiorno. «Vuole un caffè?» le chiesi quando fu seduta.

«Molto volentieri, grazie. Lasci pure la bambina a me.»

Quella donna mi piace, pensai mentre caricavo la macchinetta. Era una donna sui cinquantacinque anni con i capelli striati di grigio, il volto appena truccato e un bello sguardo vivace e attento.

«Sara mi sembra cresciuta rispetto all'ultima volta» disse quando tornai con il caffè.

«È l'impressione che ho avuto anch'io... Non la vedevo da parecchie settimane.»

«Benedicta ha poi trovato la domestica che cercava?»

Riflettei qualche istante per evitare di dire una sola parola sbagliata. «Non lo so... Anche se sono molto affezionata ai genitori di Sara, in questo ultimo periodo sono stata molto presa dal mio lavoro.» Le sorrisi. «Vorrei poterli frequentare di più... Anche questa piccolina: è un amore!» esclamai, mentre pensavo tra me che questa presa di distanza mi metteva al riparo da altre domande circostanziate. I legami senza l'abitudine della frequenza non contemplano l'obbligo di sapere e di condividere.

«Che lavoro fa?» mi chiese l'assistente sociale.

«La logoterapista. Mi piace moltissimo. Mi sarebbe piaciuto anche fare l'assistente sociale, come lei.» *Non esagerare!* mi dissi.

Il suo sguardo si rabbuiò. «Purtroppo non godiamo di buona fama. Sempre più spesso ci accusano di volerci sostituire a Dio, senza rendersi conto che in alcune situazioni siamo *costrette* a giudicare e a intervenire proprio come se lo fossimo. Due mesi fa sono stata personalmente oggetto di una campagna denigratoria che è arrivata persino sui telegiornali e sulle prime pagine dei quotidiani: mi hanno accusato di aver affidato tre bambini a un istituto sottraendoli ai genitori che avevano la sola colpa di essere poveri...»

Ricordavo quel caso, e anch'io mi ero indignata. Mi trattenni dal dirglielo, ma non potei fare a meno di osservare: «Forse è apparsa una decisione crudele perché, in effetti, essere poveri non è una colpa...».

«Lei sa che cosa vuol dire essere *veramente*, totalmente poveri? Quei genitori erano abbrutiti dalla miseria, incapaci non soltanto di sfamare e vestire i figli, ma anche di trasmettergli qualsiasi valore. Stavano crescendo peggio di cani randagi, senza speranze, senza sogni, senza capacità di reagire.»

«Non voglio accusare lei, ma perché non si è data alla famiglia la cifra che adesso lo Stato spende per mantenere i piccoli in una struttura pubblica?»

«Due anni fa quei genitori ebbero un alloggio gratuito e un assegno mensile di ottocentomila lire. Ma non è servito a niente. Mese dopo mese, durante le mie visite periodiche, ho dovuto toccare con mano che il degrado della miseria era come un male incurabile: la casa si era ridotta a un porcile, e quanto rimaneva dei soldi che il padre spendeva per ubriacarsi bastava appena per placare i morsi della fame ai bambini. Non mi è rimasto che fare un esposto alle autorità competenti perché fossero sottratti alla famiglia.»

«Ma lei perché non si è difesa? Perché non ha dichiarato tutto questo per ristabilire la verità?»

«Non posso impiegare metà del mio tempo a sostituirmi a Dio, che a volte non so se esiste oppure dove sta guardando, e l'altra metà a giustificarmi per ristabilire "verità" che non fanno notizia. Da molti anni ho capito che l'approvazione della mia coscienza è la sola che conta.»

«Sono contenta di non aver scelto il suo lavoro» commentai con sincerità. «Condivido quello che lei ha detto di Dio, ma non sarei mai capace di farne le veci.»

«C'è l'aiuto della legge. Dietro ogni decisione c'è l'avallo dei codici.»

Pensai immediatamente a Sara e a Tommaso. «Qualche volta la legge è ingiusta» obiettai con forza.

«È vero. Ma non lo è mai quanto i pregiudizi, le parzialità e gli umori dell'opinione pubblica.»

Mi schiarii la voce. «Alcuni casi di adozione negata hanno sollevato giustamente proteste e riserve. Credo che non sempre si pensi davvero al bene dei bambini.»

«È più corretto affermare che non sempre si riesce a capire quale è veramente il loro bene. I genitori perfetti non esistono, e non vi è colloquio o test che dia la garanzia di consegnare un bambino a una coppia sicuramente affidabile.»

«Non crede che anche una persona sola potrebbe essere un buon genitore?»

«Sicuramente sì. Ma le domande di adozione sono migliaia, e i tribunali preferiscono che un bambino abbia un padre e una madre. Prendiamo il caso di Sara: non crede che sia meglio per lei vivere con una coppia anziché con una persona sola?»

«Sì, certo.» Mi sforzai di sorridere. «Non riesco proprio a pensare a Sara inserita in un'altra casa e in un'altra famiglia... Non ho mai visto una bambina tanto amata.»

«È quanto ho sostenuto in tutte le mie relazioni sul suo caso. Questa piccola è fortunata perché ha trovato anche nonni, zii e tanti cuginetti disposti ad amarla.»

Era questo l'oleografico ritratto che Benedicta aveva fatto del clan famigliare? A quanto mi risultava, suo fratello aveva visto Sara sì e no quattro volte, e avevo toccato con mano l'indifferenza di mia madre e di suo padre per la sorte della bambina.

«Non è d'accordo?» la donna mi chiese, forse stupita del mio silenzio.

Mi affrettai a rassicurarla, ma dentro di me avvertii un inquietante senso di allarme: alla luce di quanto l'assistente sociale credeva, la situazione di Sara cambiava radicalmente: non perdeva soltanto una figura materna, ma anche il punto di riferimento di una grande famiglia amorosa.

«Lei è parente di Benedicta oppure di Tommaso?» la donna mi chiese ancora.

Impiegai pochi istanti per scacciare la tentazione di dire una ennesima bugia. «Di Benedicta» risposi. «Ma considero un parente anche Tommaso.» Sara cominciò a divincolarsi e a piangere, offrendomi un provvidenziale pretesto per troncare il discorso. «Ha sete» dissi alzandomi. «Se permette, vado in cucina a darle da bere.»

Quando tornai, la trovai ancora al suo posto. A quali altre domande avrei dovuto rispondere?

Con mio grande sollievo, la prima fu di natura personale. «Lei non è sposata, vero?»

«No. Sono stata fidanzata per quasi quattro anni, ma adesso sono sola.» Mi accorsi di averle fatto quella confidenza spontaneamente.

«Io sono vedova da otto anni. Il mio rammarico è non aver avuto dei figli.»

«Capisco…»

Si curvò a fare una carezza a Sara e Sara girò il visetto raggomitolandosi contro di me. «Sembra molto legata a lei» osservò.

«È una bambina socievole…»

«È proprio vero che a quell'età si cambia ogni giorno. La timidezza e la paura degli estranei sono sempre state il cruccio di Benedicta, perché secondo lei erano il segno lasciato dalla lunga solitudine in ospedale…»

«Forse con me è diversa perché piaccio ai bambini» spiegai sforzandomi di nascondere il mio disagio. Come potevo parlare con tanta famigliarità di Sara, se avevo fatto credere di essere una parente capitata lì per una mattinata dopo settimane che non la vedevo?

«Presumo che anche Benedicta piaccia a sua figlia» l'assistente sociale ribatté in tono naturale.

«Naturalmente!» Per evitare di dire altre sciocchezze, feci in modo che fosse lei a parlare. «Mi tolga una curiosità» le chiesi mostrando un grande interesse «tutti i bambini dati in affidamento vengono seguiti da una assistente sociale?»

«Se sono più grandi o hanno dei problemi particolari l'assistente sociale è spesso sostituita da uno psicologo. In ogni caso sì: prima di arrivare alla adozione, l'affido viene, per così dire, monitorato: si vuole avere la certezza, per quanto umanamente possibile, che l'inserimento sia avvenuto bene e allo stesso tempo offrire un supporto ai genitori. Capita più spesso di quanto non si creda che siano loro stessi a rinunciare all'adozione. L'accusa che si rivolge ai giudici minorili, e cioè quella di cercare dei genitori perfetti, può essere rivolta anche alle coppie affidatarie: quello che cercano è un figlio che corrisponda a una immagine ideale di figlio o realizzi il sogno di paternità o maternità mancata. Tutti lo vorrebbero piccolissimo, bello, sano, preferibilmente con un tranquillizzante pedigree come un cucciolo di razza. Messi di fronte a una realtà diversa, molti non ce la fanno.»

«E i bambini?»

«Li riportiamo in istituto cercando un'altra coppia più idonea. C'è un tredicenne che dai sei anni ad oggi è stato respinto da ben tre coppie.»

«È terribile!»

L'assistente sociale annuì. «Ecco perché la selezione dei genitori è tanto rigorosa e l'adozione ha tempi tanto lunghi. È innegabile che talvolta la burocrazia li protrae in modo esagerato…»

«Mi sembra il caso di Sara.» Mi pentii immediatamente di questa osservazione inopportuna.

«Direi proprio di no! Benedicta e Tommaso hanno potuto usufruire di una procedura eccezionalmente veloce perché la bambina gli era stata in pratica affidata dalla madre naturale e perché si erano curati di lei sin dalla nascita.»

«Però non hanno ancora ottenuto la sua adozione.» *Piantala con questo discorso.*

«Ormai è questione di poche settimane. E anche qui bisogna dare atto al giudice minorile di avere eccezionalmente accelerato i tempi.»

«E se cambiasse idea?» *Sei proprio un'imbecille!* Mi sarei tagliata la lingua. «Voglio dire, qualche volta si sente che...» Tacqui penosamente.

Il bello sguardo attento della donna si posò su di me. «Dove sta il problema?»

Abbassai la testa. «Nessun problema.» La rialzai subito. «Parlavo così, per...»

«Il suo viso è uno specchio, Irene. Si chiama così, ho capito bene?»

«Sì.»

«È da quando sono arrivata che sta sulle spine, come se avesse paura di me o si sforzasse di nascondere qualcosa.»

«Le assicuro che sbaglia! Sono solo un po' nervosa. Non sono abituata a stare con una bambina piccola e...»

«Irene, qual è il problema? Se me ne parla, posso cercare di...»

«Benedicta, la mia sorellastra, ha lasciato il marito.» La fissai trattenendo il fiato, stupita che i muri non crollassero, il pavimento non si spalancasse sotto di me, Sara non gridasse terrorizzata. Avevo provocato il terremoto e non succedeva niente.

Ebbi la stessa reazione di quando, bambina, aspettavo smaniosa di essere punita per liberarmi della paura della punizione. *Doveva* succedere qualcosa. «Si è innamorata di un altro uomo e... è andata in America con lui.»

«Quando?»

«Pochi giorni fa. Tommaso intendeva dire tutto al giudice minorile, deve credermi! E anche a lei! Ma aveva bisogno di qualche giorno di tempo per organizzarsi... per spiegare che anche in una nuova situazione Sara avrebbe avuto tutto quello di cui ha bisogno... Se gli togliessero la bambina, per lui sarebbe una tragedia! E io non me lo perdonerei mai. Ho rovinato tutto.»

«Perché non è rimasto qui ad aspettarmi?»

«Sono stata io a suggerirgli di non farlo. È un uomo leale, incapace di mentire o di nascondere qualcosa.»

L'assistente sociale mi rivolse un breve sorriso. «Come bugiarda, neppure lei sembra molto abile.»

«Ho combinato un disastro, lo so.»

«Il disastro l'ha combinato la sua sorellastra» l'assistente sociale disse rabbuiandosi di colpo. «L'ho frequentata per mesi con la certezza che fosse una madre di famiglia appagata e affidabile. A quanto pare, è una donna con una straordinaria capacità di simulazione.»

Disastro. La mia mente si focalizzò su quell'unica, spaventosa parola: l'assistente sociale dava per scontato che dopo la fuga di Benedicta l'adozione fosse compromessa. «Tommaso è un padre meraviglioso!» proruppi. «La prego, lo aiuti a non perdere sua figlia!»

«È una decisione che compete al Tribunale minorile, non a me.»

«Però lei può convincere il giudice che il bene di Sara è restare con suo padre… Può fare una relazione favorevole a Tommaso, spiegando che è un uomo onesto e perbene, in grado di crescere una bambina. Non crede anche lei che sia così? Poco fa ha detto che nelle sue decisioni deve rispondere alla sua coscienza…»

«Irene, la sola cosa che posso fare è permettere a Tommaso di parlare con il giudice minorile prima di doverlo fare io. Gli dica di chiedere un appuntamento per lunedì stesso.»

Avrei preferito che Tommaso si infuriasse e inveisse contro la mia rovinosa stupidità. Invece ascoltò in silenzio il racconto di quanto era accaduto, con una espressione rassegnata e impotente che mi strinse il cuore. «La situazione era di per sé così grave che non l'hai certamente peggiorata» disse alla fine con voce cupa. «Comunque devo informare Giuseppe, il mio amico avvocato.»

Si allontanò per telefonare e tornò dieci minuti dopo: il giudice minorile aveva già fissato un appuntamento per le undici di lunedì e l'amico voleva concordare il modo migliore per prospettare l'abbandono di Benedicta e la nuova situazione di Sara. «Puoi fermarti ancora un paio d'ore con Sara? Stasera Giuseppe va fuori città con la famiglia, e mi ha chiesto di vederlo subito.»

«Non ci sono problemi!» gli dissi. Era una rassicurazione ormai entrata nel lessico dell'emergenza. Il problema si sarebbe riproposto al lunedì mattina: chi avrebbe badato alla piccola mentre Tommaso andava dal giudice?

Dopo che fu uscito, telefonai alla mia matrigna. Iris si sorprese che fossi ancora lì e dovetti spiegargliene la ragione. Ma alla fine mi disse, con rammarico, che lunedì le era *impossibile* mandare da Tommaso la sua domestica, anche per mezza giornata. Simona si rifiutò "per principio" di farsi coinvolgere, invitando anche me a starne fuori.

Ma non potevo. Nonostante le parole di Tommaso, mi sentivo in colpa per aver fatto precipitare la situazione, e questo rendeva ancor più forte il mio coinvolgimento. Avevo il dovere di dare un aiuto.

Cercai sulla guida del telefono il numero dei primi tre pazienti del lunedì e spostai l'appuntamento. Sicuramente avrei avuto qualche problema con la direzione sanitaria, ma quelli di Tommaso erano ben più gravi.

Tornò dall'incontro con l'avvocato ancor più depresso e solo dopo molte insistenze riuscii a strappargli qualche particolare sulla linea di condotta che gli era stata suggerita.

«Dovrò chiedere a mia madre di trasferirsi qui per assicurare a Sara una presenza femminile. Per il momento, posso solo sperare che il giudice non revochi l'affidamento.»

Lo guardai delusa. «È tutto qui, quello che ti ha suggerito il tuo amico?»

«È quello che posso fare io. Lui dimostrerà che nonostante la separazione il bene della bambina è restare con me e preparerà un dossier con tutte le testimonianze utili per avallare la mia idoneità all'adozione.»

Mi sembrava che il suo amico non avesse molta fantasia, ma non volli deprimerlo ancor più. Forse sbagliavo. Forse avevo visto troppi telefilm americani e non era coi colpi di scena e d'ingegno che si poteva convincere un giudice minorile a fare adottare una bambina a un uomo separato e solo. Una cosa mi era chiara: l'improvvisa fuga di Benedicta, madre perfetta, era doppiamente grave perché il giudice, dopo esserne stato informato, si sarebbe sentito imbrogliato e turlupinato.

Era obiettivamente difficile per Tommaso convincerlo che quella fuga lo aveva colto di sorpresa e che non aveva mai avvertito alcun segnale d'allarme nel suo matrimonio. E non ci sarebbe stato da stupirsi se il giudice non gli avesse creduto e lo avesse ritenuto un inaffidabile simulatore come la moglie.

«Adesso puoi andare, Irene.» La voce di Tommaso. «Non preoccuparti per me, mia madre si è messa in contatto con una cooperativa di baby sitter e sicuramente ne troveremo una in grado di occuparsi provvisoriamente di Sara.»

«Me ne andrò quando l'avrai trovata. Credi che possa lasciarvi in questa situazione?» mi ribellai.

All'indomani mattina, domenica, feci un salto nella mia mansarda per prendere qualche vestito e della biancheria pulita.

Trovai la segreteria telefonica piena di messaggi: ben sei erano di mia madre. L'ultimo, perentorio e indignato, mi fece capire che il tamtam del clan famigliare aveva funzionato: «Ho saputo da Iris che ti sei installata a casa di

Benedicta. Che cosa ti viene in mente? Non è un problema tuo, e trovo vergognoso che tu ti sia schierata dalla parte di Tommaso, e contro tua sorella. Chiamami immediatamente.»

Mi guardai bene dal farlo. Benedicta *non* era mia sorella e lei mi appariva d'un tratto quanto di più lontano ci fosse da una vera madre.

VII

Francesca, la baby sitter inviata dalla cooperativa, si presentò alle dieci e mezzo del lunedì, quando Tommaso stava uscendo per andare dal giudice minorile. Ci fece subito un'ottima impressione: era una ragazza sui venticinque anni, dal viso pulito e il sorriso cordiale. Quando tese le braccia verso Sara, la piccola si lasciò prendere senza protestare. Esortai Tommaso ad andare all'appuntamento: avrei pensato io a darle tutte le istruzioni.

Parlando con lei, ogni apprensione sparì: Francesca era una ragazza equilibrata e in grado di fare fronte a ogni emergenza. La stessa facoltà che frequentava, Scienze dell'Educazione, la rendeva affidabile in questo senso. Le spiegai con franchezza la situazione di Tommaso e il suo bisogno di una persona che si prendesse cura di Sara.

Fu a quel punto, con altrettanta franchezza, che Francesca mi disse di non potersi assumere un impegno tanto gravoso. Era fuori corso di un anno e doveva preparare la tesi: la sua disponibilità era di tre ore al giorno, dal lunedì al venerdì, e comunque compatibilmente con le lezioni da seguire. Questo significava che aveva soltanto due mattine libere e che negli altri giorni avrebbe potuto occuparsi di Sara al pomeriggio. L'illusione di aver trovato la ragazza giusta svanì di colpo.

Francesca se ne accorse. «Mi dispiace. Credevo che aveste bisogno di un aiuto saltuario, come le famiglie da cui vado. Tutte le ragazze della cooperativa sono impegnate quanto me, e molte di loro fanno le baby sitter soltanto nelle ore serali. Nel vostro caso occorrerebbe cercare una governante o una domestica a tempo pieno...»

«È quello che mio cognato sta facendo: purtroppo non è facile trovarla e una baby sitter più libera di lei poteva essere una soluzione provvisoria. Ma vanno bene anche le tre ore che lei può fare» mi affrettai ad aggiungere. Tre ore erano meglio di niente.

L'incontro col giudice minorile fu molto breve, perché Tommaso tornò poco dopo mezzogiorno. Sara stava mangiando la pappa con Francesca, e io lo seguii in soggiorno. Non feci nulla per frenare la mia impazienza. «E allora, come è andata?»

«L'unica cosa positiva è che il giudice ha creduto alla mia buona fede: ho appreso che il mio matrimonio era un fallimento dal biglietto che mia moglie mi ha lasciato prima di andarsene con un altro. Quando gli ho mostrato questo biglietto, ha avuto una reazione furibonda contro Benedicta.»

«Sì, certo... Ma che decisione ha preso per Sara?»

«Non ha neppure parlato di lei. Intende dare una punizione esemplare a Benedicta e consultare un amico magistrato: se esistono i presupposti, la denuncerà per abbandono di un minore avuto in affido. E questo mi spaventa.»

«Perché?» chiesi, implorando tra me di sbagliarmi.

«Se nonostante la mia presenza Sara verrà ritenuta una minore "abbandonata", sicuramente la affideranno a un'altra coppia.»

Non avevo sbagliato. «Dobbiamo dimostrare che Sara non ha smesso un minuto di essere curata, nutrita, controllata!» dissi con forza. «Capisco che il giudice sia furibondo, ma non può affermare il falso per punire Benedicta! Il tuo avvocato che cosa aspetta a muoversi?»

«Lo vedrò questo pomeriggio.»

Questo pomeriggio ho sei pazienti che mi aspettano, come faccio se la baby sitter deve andarsene? pensai d'istinto, vergognandomi immediatamente per la mia meschinità: era in gioco il futuro di Sara e io pensavo al lavoro.

Fortunatamente Francesca accettò di fermarsi fino al ritorno di Tommaso. Le diedi le ultime direttive e alle due corsi al Poliambulatorio. Ne uscii alle otto, e quelle sei ore furono il primo approccio con un nuovo modo di lavorare. Fino ad allora la professione era stata l'unico punto fermo della mia vita e il recupero dei pazienti la fonte delle maggiori gratificazioni. Lavoravo con scrupolo e con passione cercando di trasmettere a tutti il mio entusiasmo.

Ma dopo i quattro giorni trascorsi con Sara e con Tommaso tutto era cambiato. Una parte di me era nello studio e l'altra nella loro casa. Mi sentivo spezzata in due, e concentrarmi su ciò che facevo mi costava una enorme fatica. Potevo davvero fidarmi di Francesca? L'avvocato era riuscito a trovare un modo per fermare il giudice? Come avrei potuto organizzarmi per il giorno dopo? E il giorno dopo ancora? Ero consapevole che non si trattava di risolvere una emergenza: il mio era un coinvolgimento ormai irreversibile. Mi sentivo *responsabile* di quell'uomo e di quella bambina.

Trovai Tommaso con Sara in braccio, stanco quanto me. «Ho provato a metterla nella culla, ma non vuole saperne di dormire.»

«Dalla a me.»

Era irrequieta, agitata. Ma la feci addormentare tenendola contro di me, passeggiando su e giù per la stanza e accarezzandole i lunghi riccioli neri. Finalmente si calmò.

Tommaso aveva apparecchiato il tavolo della cucina e stava riscaldando il rotolo di arrosto che avevo preparato. Fu lui a parlarmi dell'incontro con l'avvocato e dei suggerimenti avuti. A suo parere, sarebbe stato controproducente ostacolare qualunque decisione del giudice minorile in quanto Tommaso non poteva permettersi di irritarlo o inimicarselo. Ovviamente non poteva neppure permettere che Sara risultasse una minore abbandonata. Ed ecco l'escamotage: concordare con il giudice una alternativa alla minacciata denuncia. Tommaso avrebbe chiesto la separazione per colpa da Benedicta presentando nel contempo ai carabinieri un esposto contro di lei per aver abbandonato il tetto coniugale.

«Non mi sembra che tra le due denunce ci sia una gran differenza» obiettai perplessa.

«Di fatto, la mia iniziativa cambia radicalmente la posizione di Sara: è una minore rimasta sola con il padre affidatario, e *non* abbandonata. Cosicché al momento opportuno potrò dimostrare che la separazione non pregiudica la mia idoneità a crescerla e a continuare a occuparmi di lei.»

«E se il giudice non accettasse la proposta?»

«L'avvocato è sicuro di convincerlo, ma io dovrò attenermi comunque a questa linea di condotta.»

Cenammo silenziosamente e poco dopo andai a letto. All'una ero ancora sveglia, e anche Tommaso lo era perché udivo giungere dal soggiorno le voci e i suoni del televisore acceso. Non riuscivo a pensare a nulla: me ne stavo immobile, sopraffatta da una tristezza che mi aveva svuotato di ogni energia.

Sara cominciò a piangere. *Alzati.* Non ce la facevo. Per qualche istante temetti di essere paralizzata. Non potevo muovermi. *Alzati. Se non ti muovi subito, non lo farai più.* Il panico mi strinse la gola. Ebbi la sensazione di essere risucchiata dal nulla. Concentrandomi con tutta me stessa, spostai un braccio con un movimento brusco e sgraziato. Ero salva. Mi sollevai sul cuscino e poi scesi dal letto.

Tommaso mi aveva preceduto. Curvo sulla culla di Sara, le aveva infilato il succhiotto tra le labbra e la stava tranquillizzando dolcemente. Si riaddormentò quasi subito, e uscimmo in punta di piedi dalla stanza.

«Torna a letto» Tommaso mi disse.

«Dovresti dormire anche tu.»

«Non ho sonno.»

«Accidenti, non possiamo pensare sempre al peggio!» Scoppiai a piangere.

Tommaso restò a guardarmi, con una espressione desolata e impotente.

Il giudice minorile accettò la proposta dell'avvocato. Non ci facemmo illusioni, l'adozione di Sara rimaneva problematica. Ma fu come scorgere uno spiraglio di luce in fondo al tunnel. Non brancolavamo più nel buio senza sapere che cosa fare e dove andare, angosciati dal dubbio che quel tunnel ci avrebbe inghiottiti per sempre. Adesso sapevamo quale era la direzione giusta: la via d'uscita era lontana e accidentata, ma esisteva.

Tanto bastò per ricaricarci di energia. Tommaso denunciò ai carabinieri la fuga della moglie: Benedicta era perseguibile in quanto aveva abbandonato il marito e la minore avuta in affido senza avvertire il Tribunale dei minori, e per di più rendendosi irreperibile.

Dopo questa denuncia, l'avvocato presentò istanza di separazione per colpa e chiese ufficialmente al giudice la non sospensione dell'affido dimostrando che la minore era amorevolmente assistita, oltre che dal padre, dalla zia materna.

L'assistente sociale avallò questa dichiarazione confermando che la nuova situazione della piccola continuava ad essere, in ogni senso, adeguata alle sue necessità.

Fu lei a suggerirmi di non lasciare la casa di Tommaso

fino a quando il giudice non avesse preso una decisione: la presenza di una domestica fissa non sarebbe apparsa rassicurante quanto quella di una parente.

La solidarietà dell'assistente sociale ebbe su di me i portentosi effetti illusoriamente attribuiti a una droga. Ero come drogata di sicurezza e di ottimismo. Niente più mi faceva paura o mi sembrava impossibile. Il problema del lavoro? Lo risolsi sia per me sia per Tommaso studiando, con l'efficienza di una stratega, un piano logistico mirato a conciliare i nostri impegni con l'assistenza di Sara.

Non potendo contare sulla madre di Tommaso, ancora immobilizzata dalla sciatalgia, coinvolsi la mia amica Simona. Il mio ottimismo e la mia determinazione ebbero un effetto quasi intimidatorio sulle sue riserve: non soltanto accettò di prendersi cura di Sara da mezzogiorno e mezzo alle due e mezzo, ma mi offrì spontaneamente un aiuto in più, quello della domestica di sua madre. In attesa di trovarne una, sarebbe venuta un paio d'ore ogni giorno per sbrigare le faccende più urgenti.

Quanto a Francesca, la baby sitter, la convinsi a garantirmi la sua disponibilità dalle due e mezzo alle sei e mezzo del pomeriggio.

E il piano funzionò. Io uscivo da casa alle otto del mattino lasciando Sara a Tommaso, che non aveva orari rigidi come i miei. Alle dodici e mezzo, quando arrivava Simona, Tommaso usciva per andare in agenzia. Alle due e mezzo, quando arrivava Francesca, Simona correva nuovamente in ufficio. Io rimanevo al Poliambulatorio fino alle sei, facendo orario continuato e saltando la pausa pranzo, e al mio ritorno Francesca se ne andava. Tommaso rientrava talvolta anche alle dieci di sera, recuperando le ore che doveva perdere al mattino.

Era come un gioco a incastro. Un alternarsi, sostituirsi e correre in cui si poteva scorgere anche un aspetto umoristico: con i nostri ritmi, sembravamo i protagonisti di una vecchia comica del cinema muto. Nelle due settimane che seguirono non ebbi un solo istante di cedimento, o di dubbio, o di stanchezza.

«Ma come fai?» mi chiedeva, sbalordito, Tommaso. «Io mi stanco solo a vederti!»

E finalmente trovammo la domestica. Era una bionda e robusta ragazza polacca, Maria, che per un anno aveva assistito l'anziana suocera di una infermiera dell'Igea. Appresi che la povera donna era morta con uno spudorato senso di sollievo: lei si era liberata dalle sofferenze e Maria dal vecchio posto.

A funerali avvenuti, si trasferì a casa nostra. Mi sembrò un tale miracolo che accettai di buon grado le sue richieste dell'ultima ora: poter dormire a casa di un'amica, polacca come lei, e avere il fine settimana libero. In caso di bisogno, mi assicurò, si sarebbe fermata anche la notte e nei giorni liberi.

Con il suo arrivo la nostra quotidianità riprese i ritmi normali. Quando lo dissi a Simona, esprimendole il mio sollievo, mi guardò dritto negli occhi. «Parli come se questa fosse la tua famiglia. La tua quotidianità non esiste più, Irene.»

«Credevo che in questo periodo ti fossi affezionata a Sara, che Tommaso ti piacesse...»

«È così, infatti. Ma non mi comporto come se lui fosse mio marito e la bambina mia figlia.»

«Hanno bisogno di me e mi sento responsabile di loro, ecco tutto.»

«Irene, ho paura che anche tu abbia bisogno di loro. Uscirai da questa storia con le ossa rotte, perché non lo capisci?»

«Non lo capisco proprio.»

«Mi dispiace per te.»

Passata la rabbia, il battibecco con Simona mi lasciò addosso una sgradevole sensazione di inquietudine. Mi sembrava un'avvisaglia di qualcosa di negativo che stava per accadere, e a farmi paura era soprattutto la negatività che avvertivo in me. Nel mio ottimismo si era aperta una piccola breccia e questo era grave perché mi dava la superstiziosa certezza che, aspettandomi il peggio, l'avrei attirato su di me come un magnete. Mi era già accaduto. Non sbagliavo mai.

Ci siamo, pensai quando udii la voce concitata di mia madre giungere dal vicino bancone del ricevimento del Poliambulatorio. Doveva vedermi subito, si trattava di una cosa *urgentissima*. Ero nel mio studio, con l'amica Elena e la piccola Marina. Mia madre spalancò la porta. «Devo parlarti» ringhiò.

Cercai di restare calma. «Adesso sono occupata, mamma. Puoi aspettarmi fuori?»

Elena capì al volo la situazione e non le diede il tempo di rispondere. «Possiamo aspettare noi, Irene» disse con voce naturale e gentile. Tese la mano alla figlia e si allontanò discretamente dallo studio.

Non aveva ancora chiuso la porta quando mia madre mi aggredì. «È questo il tuo amore per la famiglia?»

«Non urlare.»

«E perché? Ti vergogni di fare sentire quello che hai fatto?»

«Se non abbassi la voce, me ne vado» dissi gelida. «Ho una paziente che mi aspetta. Se hai qualcosa da dire fallo in fretta, e ricordando che siamo in un centro medico.»

«Non fingere di cadere dalle nuvole, sai bene che cosa devo dirti! Tua sorella è stata *denunciata* come una... una...» L'ira le strozzò la voce, e mi lanciò un'occhiata di fuoco. «Non avrei mai creduto che tu arrivassi a tanto.»

«L'ha denunciata il marito, mamma, non io.»

«Ma tu non hai fatto niente per fermarlo! Anzi, l'hai sobillato, l'hai aizzato contro la povera Benedicta.»

«Non dire sciocchezze. *La povera Benedicta* sarebbe stata denunciata comunque dal Tribunale minorile.»

«Lo vedi che non sbaglio? Tu sei sempre stata invidiosa di lei e adesso, in questa situazione, ci sguazzi. Lo sai che i carabinieri sono venuti a casa mia costringendomi a dire dove si trova? Non immagini quello che le accadrà? Potrebbero ritirarle il passaporto, potrebbero... Mi vergogno di te!» esplose.

«Il sentimento è reciproco.»

«Come ti permetti?»

«Non strillare!»

«E allora te lo dico piano. Ma ascoltami bene: non permetterò né a te né a quel miserabile di suo marito di distruggere la reputazione della mia famiglia e di rovinare l'esistenza di Benedicta.»

La pietà spense sul nascere la vampata d'ira. Come prendermela con lei? Simona aveva ragione. Non potevo farle una colpa se era una donna superficiale, egoista, del tutto sprovveduta dell'intelligenza dei sentimenti. Aveva impostato la sua esistenza sulla scelta del ruolo che le era apparso più appagante, quello della adorata e onnipotente matriarca di una famiglia felice. Io e Tommaso avevamo distrutto il suo ruolo e l'intera impalcatura: ci detestava per questo. E sicuramente ce l'avrebbe fatta pagare, sferrando quegli attacchi che soltanto le persone aride e meschine potevano ideare senza provarne vergogna.

Neppure questa volta mi sbagliavo. Una settimana dopo l'irruzione al Poliambulatorio, l'avvocato di suo marito inviò a Tommaso una raccomandata con cui lo invitava a lasciare l'abitazione di proprietà di Benedicta. Mia madre sapeva bene che una causa per sfratto avrebbe potuto andare avanti per anni: ciò che le importava era umiliarlo, fargli avvertire il disagio di restare in quella casa: aveva denunciato la moglie ma continuava a sfruttarla.

Vanamente invitai Tommaso a non cadere nella trappola dell'orgoglio: appena ricevuta la raccomandata, si rivolse a una agenzia immobiliare per trovare al più presto una nuova abitazione. Ma le rappresaglie erano appena iniziate.

Il presidente dell'agenzia in cui Tommaso lavorava ricevette delle forti pressioni dal marito di mia madre perché fosse licenziato. Purtroppo Michele aveva sottovalutato la considerazione di cui il genero godeva e il ruolo che si era conquistato: il presidente, messo di fronte all'aut aut, preferì rompere una amicizia giovanile ormai inesistente che rinunciare a un collaboratore prezioso.

Il colpo più indecente doveva ancora arrivare. Fu Antonia Pozzi, l'assistente sociale che si era ormai scopertamente schierata dalla nostra parte, a preannunciarmelo. Un sabato mattina, dopo essersi accertata che Tommaso non fosse in casa, venne a trovarmi.

La sua faccia mortificata e scura mi fece gelare il sangue. «Hanno deciso di toglierci Sara?» gridai, quasi.

«No. Non per il momento, almeno.» Emise un profondo sospiro. «Tua madre si è presentata dal giudice minorile con una lettera che, a suo dire, Benedicta le lasciò prima di andare in America. La sua fuga viene descritta come l'unico modo per salvarsi da un matrimonio invivibile. Non potendo portare con sé Sara, supplica la nonna di avere cura di lei e di tenerla con sé fino al suo ritorno.»

«È tutta una montatura di mia madre! Si è fatta spedire la lettera dall'America per dimostrare che la denuncia di abbandono è infondata!»

«È quello che ho detto al giudice. Ma non è possibile provarlo.» Mi guardò e subito distolse gli occhi. Era visibilmente a disagio.

«Che cosa altro c'è?»

«Tua madre ha chiesto che Sara sia affidata a lei fino al ritorno di Benedicta... Irene, non so come dirtelo: ha fatto credere al giudice che tu sei l'amante di Tommaso, insinuando che forse proprio la vostra relazione ha spinto Benedicta ad andarsene.»

No! urlai. Ma l'urlo era dentro di me, e saliva con l'umiliazione, il dolore, l'orrore. Ma dalla mia bocca uscì solo un gemito inarticolato.

Antonia mi guardò desolata. «Non devi arrenderti.»

VIII

Anche se si campa fino a cent'anni, arrivati alla fine della vita bastano pochi minuti per ricordare le persone e i fatti che hanno contato davvero. Lo pensai mentre aspettavo con Tommaso che Sara uscisse dalla sala operatoria, fissando la vetrata oltre la quale era sparita da quasi cinque ore. *Aspettammo cinque ore*: sarebbero occorsi due secondi per ricordare quell'attesa, e forse due minuti per ricostruire gli eventi di quegli ultimi quattro mesi.

Indignato per le infami accuse di mia madre, Tommaso rifiutò la mia proposta di andarmene. Un mese dopo il giudice minorile gli tolse Sara per affidarla provvisoriamente a mia madre. Tommaso si trasferì in un residence e io tornai a casa mia. L'assistente sociale fece un esposto segnalando l'incapacità della nonna di prendersi cura della bambina, praticamente affidata ai domestici. Tre mesi dopo mia madre mi fece una telefonata isterica dicendo che Sara era diventata cieca. I medici diagnosticarono un tumore cerebrale. Sara fu ricoverata in ospedale. Sara ebbe numerose crisi epilettiche e fu in coma per sei giorni. Io e Tommaso ci alternammo giorno e notte per assisterla. Il giudice minorile autorizzò il rischioso intervento a cui era affidata la sola, esile speranza di sopravvivenza.

Quello che era successo prima di incontrare Sara e Tommaso? Niente. Ventisei anni di vuoto.

Antonia, l'assistente sociale, tornò con due caffè che

era andata a prendere al distributore del piano di sotto. «Avanti, bevete» disse porgendoci i bicchierini di cartone.

Avevamo trascorso la notte con Sara, seduti l'uno di fronte all'altra accanto al lettino, incapaci di distogliere lo sguardo dalla sua testolina rasata e dal piccolo viso bianco come la cera.

Tommaso si alzò per buttare i bicchieri vuoti in un contenitore e si fermò davanti alla vetrata della sala operatoria. Anche la sua schiena curva e le sue braccia rigide esprimevano tensione e angoscia.

«Se l'avessimo fatta operare prima...» piansi con l'assistente sociale. «Mia madre si è accorta che Sara stava male quando ormai il tumore si era diffuso. Ma non guardava mai la bambina? Non la sentiva mai piangere?»

Antonia mi prese una mano. «Nemmeno io mi sono accorta di niente.»

«Ma tu la vedevi soltanto una volta alla settimana! Non vivevi con lei!»

Tommaso si stava avvicinando e tacqui di colpo. «Sono passate due ore da quando abbiamo avuto le ultime notizie. Perché qualcuno non esce di nuovo per dirci qualcosa?»

«Perché devono occuparsi di Sara» Antonia gli rispose come a un bambino. «Fino a due ore fa stava andando tutto bene, se nessuno si fa vedere è perché non ci sono problemi.»

Sara entrò in coma diciotto ore dopo l'intervento e sopravvisse tre giorni. Al quinto, la sua piccola bara fu deposta in un loculo, accanto ai nonni e al padre di Tommaso. Alla fine della mia vita, avrei ricordato in trenta secondi lo strazio senza fine dell'agonia.

All'uscita dal cimitero presi Tommaso per un braccio

e lo portai nella mia mansarda. Si lasciò trasportare come un automa. Lo feci sdraiare nel mio letto e cadde subito in un sonno profondo. Gli slacciai la cravatta. Gli tolsi le scarpe. Lo coprii con un plaid. A mezzanotte dormiva ancora. Silenziosamente, senza neppure svestirmi, mi sdraiai accanto a lui.

Tommaso emise un breve gemito. Quasi automaticamente, allungò un braccio verso di me. Trattenni il fiato, immobile. *Io amo questo uomo*, pensai. Mi ritrovai sveglia all'improvviso, senza nemmeno accorgermi di essermi addormentata. Tommaso, sollevato su un fianco, mi stava guardando. Mi strinse contro di sé con un gemito e io mi aggrappai a lui.

Due secondi soltanto per ricordare che quella notte diventammo amanti: fu il solo modo per confortarci e per sopravvivere.

Alle cinque mi sciolsi dal suo abbraccio e in punta di piedi, per non svegliarlo, percorsi i pochi metri che mi separavano dalla piccola cucina. Misi la caffettiera sul gas e mi sedetti su uno sgabello, tremando al pensiero del momento in cui anche Tommaso si sarebbe alzato.

Non sapevo che cosa dirgli né come comportarmi e mi sentivo arrossire alla sola idea di guardarlo in faccia. Che cosa vi avrei visto? Disagio, vergogna, colpa, fretta di andarsene? Ero talmente concentrata nell'immaginare ciò che provava lui da non chiedermi nemmeno quello che provavo io.

Amore. La risposta era una sola, ma proprio questa certezza accresceva i miei dubbi. Da quanto tempo mi ero innamorata di lui? Come era possibile che non me ne fossi accorta? Simona aveva avuto ragione affermando che mi comportavo come se fossi sua moglie? Mia madre sapeva di colpire nel segno e di mentire soltanto in parte dicendo al giudice che eravamo amanti?

Il caffè era traboccato lasciando una grande macchia

scura sul fornello. Mi alzai, presi uno straccio e scoppiai in singhiozzi.

«Irene...»

Mi girai di scatto. Tommaso era fermo davanti alla porta e mi stava guardando. Nel suo viso vidi soltanto una infinita tristezza.

«Non volevo svegliarti, scusami» balbettai.

«Ero sveglio.» Si avvicinò e mi tolse lo straccio dalla mano. «Volevo trattenerti, ma avevo paura di parlare, di dire delle cose sbagliate. Per piacere, non piangere.»

«Piango... per tutto.»

Anche lui aveva gli occhi lucidi. «Irene, non riesco a sentirmi in colpa per quello che è successo stanotte. Mi sei rimasta solo tu. Se riesco a vivere senza Sara è perché ci sei tu. Ma se mi dici di andarmene, me ne vado. Ti amo troppo per farti stare male.»

«Starei peggio se te ne andassi.»

Un mese dopo Tommaso mi portò a vedere l'appartamento che un suo collega aveva lasciato libero e messo in vendita dopo la nascita del secondo figlio.

Si trovava in piazza Benedetto Marcello, all'ultimo piano di una palazzina da poco ristrutturata: ottanta metri quadrati suddivisi tra una cucina che con qualche accorgimento poteva diventare abitabile, un soggiorno di medie dimensioni, due piccole stanze da letto e due microscopici bagni. La terrazza sui tetti era il vano più grande.

«Il mio collega chiede 480 milioni: è un ottimo prezzo, tenendo anche conto che è in ordine perfetto e basta una imbiancata ai muri per trasferirci qui. Tu che cosa ne dici?» Tommaso domandò.

«Mi piace» mi affrettai a rispondere. Era evidente che lui ne era entusiasta, e non osai obiettare che per il momento avremmo potuto sistemarci in una casa in affitto. Quella mi sembrava troppo piccola, più un nido d'amore che l'abitazione di una famiglia. *Non sei la moglie di Tommaso e Sara non c'è più.* «Mi piace» ripetei.

«Allora la fermerò subito. Con un mutuo e la vendita delle mie azioni non ci sono problemi.»

D'un tratto capii la sua fretta: per otto anni si era sentito ospite di Benedicta, e finalmente poteva avere una casa propria. Quell'acquisto rappresentava un taglio netto con le frustrazioni e i brutti ricordi del passato. Proprio per questo non osai proporgli di contribuire all'acquisto con i soldi che avrei potuto ricavare dalla vendita della mia mansarda, come d'istinto ero stata tentata di fare. *È un uomo orgoglioso, non dovrai mai dimenticarlo.*

«All'arredamento penserai tu. La padrona di casa sarai tu» sorrise passandomi un braccio attorno alla spalla.

«Potrei portare qualche mobile della mia mansarda.»

«Se proprio vuoi…»

Mi sembrò stranamente riluttante, come se la cosa lo disturbasse. Quella sera, per la prima volta, mi chiese di parlargli di Antonio: avevamo convissuto? Quanto era durata? Chi dei due aveva preso l'iniziativa della rottura?

È geloso, pensai. E capii che la sua fretta di cambiare casa era causata anche dal disagio di dormire nel letto in cui avevo dormito con un altro uomo, sedersi nel divano dove si era seduto un altro uomo. Come avevo potuto pensare di portarli nel nuovo appartamento?

«La storia con Antonio è durata tre anni e mezzo, ma non abbiamo mai convissuto e adesso ho la certezza di non averlo mai amato» gli dissi. «Per la verità, ho avuto questa certezza ancora prima di innamorarmi di te.»

«E lui? Ti amava?»

«Forse solo all'inizio. Ma non certo quanto tu amavi Benedicta. Oh, Dio, scusami… Volevo dire che a diciotto anni, quando ti vidi per la prima volta, mi apparisti bello e romantico come un principe azzurro. Per tanto tempo, ho continuato a vedere in te l'emblema dell'uomo innamorato...»

«Tu sei la prima donna che amo davvero. È curioso, sai? Anche io ricordo quel giorno. Non avevo mai visto un viso solare, ridente come il tuo e osservandoti bene capii che dipendeva anche dalla linea delle tue labbra.»

«Le mie labbra? Che cos'hanno?»

«Sono dolcemente incurvate verso l'alto, come in un sorriso senza fine.»

«In pratica, ho una faccia da ebete.»

«Hai una faccia con una struttura ossea perfetta. E i tuoi occhi sono troppo intelligenti per...»

«Continua pure!»

«Mi è venuta in mente tua madre. Ogni volta che la incontravo e la sentivo parlare mi chiedevo com'era possibile che da una donna come lei fosse nata una figlia come te. Eri diversa da tutta la tua famiglia. E provavo una strana soddisfazione quando tua madre si lamentava per questo. A volte mi domando se non ti amassi fin da allora...»

«Non dirlo!»

«E perché?»

«Ci hanno portato via Sara accusandoci di essere amanti! Sai quello che a volte mi domando *io*? Se veramente era una calunnia, oppure non ci fosse una parte di verità. Quando abbiamo fatto l'amore la prima volta mi è sembrato di avere aspettato da mesi quel momento... E mi sento in colpa...»

«Irene, non c'è un solo momento del giorno in cui io non pensi a Sara. Convivo con un senso di perdita che non mi abbandonerà più. Ma non mi sono *mai* sentito colpevole per l'amore che ho per te. Ti amo per il bene che hai voluto a lei, per tutti i frullati e le pappe che hai preparato per lei, per la generosità con cui sei entrata nelle nostre vite, per tutte le lotte e le angosce che hai condiviso con me. Ti amo perché è impossibile non amare una persona come te.»

«Se fossi rimasta fuori dalle vostre vite, forse Sara sarebbe ancora con te.»

«Perché vuoi farti male a ogni costo? Questo non è vero! Se non ci fossi stata tu, il Tribunale dei minori me l'avrebbe tolta pochi giorni dopo l'abbandono di Benedicta! Non lo dico io, l'ha detto l'assistente sociale!»

«Vuoi negare che l'hanno affidata a mia madre per toglierla a noi, gli indegni cognati amanti? Sara aveva un tumore al cervello e lei non se n'è accorta... È morta per questo! E io non mi darò mai pace!»

«Era un glioma maligno infiltrato e mal delimitato. Questo vuol dire che era praticamente impossibile estirparlo interamente e, anche se fosse sopravvissuta, Sara non sarebbe mai stata una bambina normale. La metastasi l'aveva già resa cieca...»

Ripensai con una stretta al cuore alle sue crisi di pianto improvvise, ai suoi furiosi contorcimenti... Possibile che il pediatra non avesse mai sospettato nulla?

Tommaso parve leggermi nel pensiero. «Solo un esame del cervello avrebbe potuto rivelare il suo male. Ma quale pediatra va a pensare a un glioma se una bambina di pochi mesi fa i capricci o si sveglia di notte? Abbiamo dato a Sara tutto l'amore di cui aveva bisogno.»

«Non mia madre, nei mesi in cui è rimasta con lei.»

«Forse no. Ma l'alternativa era un istituto. Nessuno ci avrebbe avvertito del suo ricovero e lei non sarebbe morta mentre noi le tenevamo le manine e la accarezzavamo.»

«Mi manca tanto...»

«Lo so. Ma devi smetterla di farti male.»

Ci trasferimmo nella casa di piazza Benedetto Marcello due mesi dopo la morte di Sara.

Né io né lui avevamo avuto il tempo di girare alla ricerca dei mobili: eravamo liberi soltanto al sabato, e ciò che riuscimmo a scegliere furono il televisore, un divano, gli elettrodomestici e un lettone di ferro del primo Ottocento.

Tommaso affermò scherzosamente che l'essenziale non mancava certo, ma dietro quella battuta avvertii ancora una volta la fretta di iniziare la nostra vita in una nuova casa.

Come era prevedibile, nemmeno accennò ai molti pezzi d'arredo che prima e durante il matrimonio aveva personalmente acquistato per il villone di San Siro: era scontato che restassero lì, come quelli della mia mansarda. Mia madre, forse in un maldestro tentativo di disgelo o per un tardivo soprassalto di pentimento, telefonò alla madre di Tommaso: la villa stava per essere venduta e ciò che non apparteneva a Benedicta era a disposizione del figlio, pronto per essere trasportato altrove.

Carla, di sua iniziativa, le rispose di tenere pure tutto: la sola cosa che, personalmente, desiderava avere erano i quadri dipinti da Tommaso prima del matrimonio e finiti nell'interrato.

Mia madre replicò che ne erano rimasti solo cinque: glieli avrebbe fatti portare quel giorno stesso dall'autista del marito.

Seppi tutto questo da Carla, e le promisi che non ne avrei fatto parola con suo figlio. La "suocera di Benedicta" (a volte mi veniva mio malgrado istintivo riferirmi a lei col ruolo che per anni aveva ricoperto) era stata la sola persona, oltre a Simona, a sapere che io e Tommaso intendevamo andare a vivere insieme: ma a differenza della mia amica, si era mostrata rassicurata e felice. Non aveva mai nascosto la stima che aveva per me, e in quegli ultimi mesi avvertivo da parte sua anche un sincero affetto.

Il mio unico rammarico era non avere tempo per starle più vicina. Un paio di sere alla settimana, quando Tommaso si fermava in agenzia fino a tardi, facevo una scappata da lei e ogni sabato andavamo insieme a trovarla. Le avevamo ceduto Maria, la domestica polacca, che in cambio di un notevole aumento di stipendio si era lasciata convincere a fermarsi anche a dormire. Carla soffriva di artrosi ed era sempre più spesso afflitta da dolori lancinanti; le vicissitudini di quegli ultimi mesi e la morte di Sara sembravano averla trasformata in una vecchia. «Meno male che mio figlio ha trovato te» mi diceva spesso. «Sei stata la sua salvezza, il suo raggio di sole...»

Durante una delle mie scappate serali vidi per la prima volta i quadri di Tommaso. Carla li aveva appesi in una stanza dove lui non entrava mai, ma che per prudenza teneva chiusa a chiave, e me li mostrò come una cospiratrice.

Quando alzai gli occhi per guardarli, avvertii una emozione violenta, come se il cuore mi si spostasse da una parte all'altra, e per qualche istante non riuscii a respirare. Tommaso era un grande artista. Attraverso un volto e un corpo femminile era riuscito ad esprimere armonia, serenità, luce. Messo di fronte alla vita, l'aveva vista con l'occhio innocente d'un bambino cogliendone l'abbagliante bellezza: quel volto, quel corpo raffiguravano l'eterno mistero della creazione, il passaggio dal buio primordiale alla luce, il cordone ombelicale con la terra. Aggrappato alla Madre, il bambino si era affacciato verso il futuro e vi aveva scorto colori, gioie, speranze.

È Benedicta. La riconobbi all'improvviso, e fui travolta da un'ondata di gelosia, di indignazione e di odio che mi fece quasi barcollare. Che cosa gli aveva fatto? Come aveva potuto uccidere le speranze di un uomo e il talento di un artista?

Smisi di dipingerla ossessivamente quando mi accorsi

che non aveva anima mi aveva detto una volta Tommaso. Mi sentii infuriata anche con lui: come aveva potuto vedere un'anima che non c'era? Come aveva potuto amarla tanto?

L'uomo che adesso amava me era un adulto disincantato e sconfitto. Io non ero il ponte verso un futuro dalla abbagliante bellezza, ma lo stanco approdo di un essere umano che, al termine di un lungo volo, voleva soltanto sopravvivere. L'ondata si ritrasse e sentii le lacrime pungermi gli occhi. In quei pochi minuti avevo avuto la desolata preveggenza del *nostro* futuro.

Non ci sarebbero mai stati voli, progetti e speranze perché mi ero innamorata di un uomo che aveva perduto l'innocenza. A toglierargliela era stata Benedicta: e mi sembrò incredibile che una piccola, stupida donna fosse riuscita a compiere una rovina così enorme, così devastante.

Quando facevo la terza media l'insegnante di italiano aveva letto e complimentato davanti a tutta la classe un mio tema sul significato che davamo alla religione. *Il più grande dono che Dio ha fatto all'umanità è negarle la conoscenza del futuro*, scrissi tra l'altro.

Ricordai curiosamente questo lontano episodio una settimana dopo aver visto i quadri di Tommaso. Era un sabato, l'unico giorno feriale libero per entrambi, e decidemmo di andare da un rigattiere che si trovava poco distante da Verona. Ce lo aveva segnalato Simona, spiegando che il rigattiere "si era allargato" trasformando il vecchio cascinale in cui abitava in una ruspante mostra-mercato di antiquariato. Tra schifezze e ciarpame, ci assicurò, con un po' di fortuna era possibile trovare qualche pezzo interessante.

Nonostante avessimo aguzzato la vista per oltre due

ore, ci mancò la fortuna. La sola cosa che attirò la mia attenzione fu un vassoio in ceramica i cui manici erano rappresentati da Adamo ed Eva nel Paradiso terrestre. Lei era avvolta dalle spire luccicanti di un serpente, lui (licenza d'artista) da un vello di montone. Sul fondo del vassoio, Caino e Abele bambini nuotavano in un laghetto.

«Non vorrai comperarlo!» Tommaso esclamò sbarrando gli occhi.

«È orrendamente irresistibile. Se lo lasciassi qui, mi piangerebbe il cuore.»

Era quasi l'una e decidemmo di andare a cercare una trattoria o un ristorante sul lago di Garda. Per tutto il percorso, Tommaso non fece che prendermi in giro: ma dove intendi metterlo? Come ho fatto a perdere la testa per una selvaggia come te? È questo il tuo concetto di arte?

No, il vero artista sei tu, fui lì per rispondergli. Ma avevo promesso a Carla che non gli avrei mai parlato dei suoi quadri e, soprattutto, non volevo fargli male ricordandogli il talento e tutte le altre cose che aveva perduto.

«Che cosa c'è, Irene?» mi chiese più tardi, a tavola, mentre aspettavamo le tagliatelle coi funghi che avevamo ordinato.

«Niente.»

«Non è vero. D'un tratto ti sei rabbuiata.»

Ti guarda. È attento. Capisce quello che provi. La malinconia sparì istantaneamente. «Stavo pensando dove mettere il mio vassoio» scherzai.

«Sai che cosa ti dico? Forse ha davvero un suo mostruoso fascino.»

«Ti amo, Tommaso.»

«Solo per questo?» rise.

«No. In questo momento ti amo perché ridi.»

«E negli altri?»

«Adesso mangia» risposi indicandogli il piatto che la padrona gli stava mettendo davanti.

Quella notte, per la prima volta, facemmo l'amore con gioia. Tommaso voleva *me*, e non consolazione e aiuto per non sprofondare nel nulla. Le sue mani percorrevano leggere tutto il mio corpo mentre mi fissava con uno sguardo adorante.

Fu più tardi, molto più tardi, che ripensai al mio vecchio tema. Sì, Dio ci aveva fatto davvero il dono più grande decidendo di farci ignorare il nostro futuro. E la desolante preveggenza di qualche giorno prima mi sembrò soltanto un segno della mia stupidità. Tommaso era un uomo pieno d'amore e di vita, e neppure Benedicta era riuscita a tarpargli le ali. Adesso stavamo volando insieme verso il nostro futuro, e solo Dio poteva sapere quale fosse.

PARTE SECONDA

Gli ostacoli e i tormenti che rafforzano l'amore sono soltanto quelli che non distraggono un uomo e una donna dal loro amore.

IX

«Tu... prendi la pillola, vero?» Tommaso mi chiese una sera mentre ricadeva sul mio fianco e mi passava un braccio attorno alle spalle per tenermi ancora stretta a sé.

«Pensi che sia sterile? Se non usassi un anticoncezionale, a quest'ora avremmo un paio di figli!» risposi con voce leggera sperando che davvero apparisse tale. Ma intanto, senza accorgermene, mi ero bruscamente sottratta alla sua stretta.

«Scusami.»

«E di che cosa?»

«Ti ho fatto una domanda stupida.»

«È stupido che tu me l'abbia fatta dopo due anni e due mesi che viviamo insieme.»

Attenta, torna indietro, ti stai addentrando in un terreno minato. Il solito campanello d'allarme della parte più vile di me. Di sicuro, quella che sapeva aggirare tutte le insidie e trovare tutte le vie di fuga per vivere senza problemi.

«È l'una di notte, non mi sembra il caso di parlarne adesso» aggiunsi precedendo d'un soffio la sua replica. Mi curvai a dargli un bacio sulla fronte. «Adesso dormiamo, buonanotte.»

Brava. Perfetto. Al diavolo. Mi girai su un fianco cercando invano di addormentarmi. L'insonnia è un fenomeno di sadomasochismo naturale, pensai furiosa di non riuscire. Perché mai il corpo rifiutava di concedere alla mente qualche ora di riposo e di tregua? Non era stanco di voltarsi e rivoltarsi?

«Non riesci a dormire, Irene?»

L'interrogativo di Tommaso mi sembrò il massimo della beffa. Gesù, ci si metteva anche lui. «Stai concorrendo al festival delle domande cretine?» abbaiai.

Accese la luce e mi guardò. «Forse quella della pillola era migliore» disse serio.

Aveva capito. E questo ancora una volta mi spiazzò. «Vado a bere un bicchier d'acqua.»

Feci per alzarmi, ma mi fermò per un braccio. «Non scappare sempre. E hai ragione, è stupido che dopo tanto tempo non abbiamo ancora affrontato il discorso di un figlio.»

L'hai fatto, eccome, gli dissi silenziosamente. Due mesi dopo che abitavamo in questa casa ti dissi, con aria noncurante, che avevo un ritardo di tre giorni e la tua faccia spaventata parlò per te. Non mi chiedesti più niente. Fui io a dirti che il ciclo era arrivato.

«Irene, parliamone.»

«Tu lo vuoi un figlio?»

«Non ho ancora avuto il divorzio, Irene» rispose sulle difensive.

«Lo avrai tra pochi mesi, ma in ogni caso viviamo insieme come se fossimo marito e moglie. O sbaglio?»

«Certo che non sbagli.»

«Allora il problema non è il divorzio.»

Mi lanciò un'occhiata impaurita. «Io non vedo problemi tra noi.»

Attentaaa! Fermati! Basta, mi imposi. «Tommaso, tu lo vuoi sì o no un figlio?»

«E tu?»

Dopo due anni e due mesi scavalcai spericolatamente il filo spinato dei pudori, dei silenzi e delle paure per addentrarmi tra le mine della verità. «Io sì. Ogni giorno, quando prendo quella maledetta pillola, per qualche istante ti detesto. Ogni mese, quando arriva il ciclo, avverto una tristezza di morte. Sì, Tommaso, io voglio un figlio.»

Se mi dice che *non è pronto* e mi chiede di *dargli tempo* lo ammazzo, pensai con ferocia. Non lo disse, ma fu molto peggio. Lo avevo condotto con me in quel terreno insidioso, e con la mia stessa spericolatezza vi si addentrò facendo esplodere la prima mina.

«Mi dispiace per te, Irene: io non voglio figli. La mia capacità di amore paterno è sepolta con Sara. Quando passo per strada e vedo una bambina della sua stessa età, devo voltare la faccia da un'altra parte e mi sembra ingiusto che quella bambina sia destinata a vivere, a crescere mentre Sara è rinchiusa in quel loculo… Ho avuto una figlia e l'ho perduta. Non ne vorrò mai più altri.»

La pietà mi trafisse il cuore come una pugnalata. «Non parliamone più» dissi stringendolo contro di me. Restammo a lungo stretti l'uno all'altra, e quando feci per spostare un braccio me lo trattenne. Il suo corpo cercava ancora consolazione e aiuto: credevo che il tempo avesse rimarginato le vecchie ferite, e invece continuava a portare la sua croce, a convivere con i ricordi di perdita e di morte.

Alle otto, quando arrivavo al Poliambulatorio, trovavo sulla scrivania del mio studio un elenco di tutti gli appuntamenti della giornata con gli eventuali aggiornamenti o cambi d'orario.

Quella mattina, scorrendolo, vidi che il primo incontro era con Luisa Morini. Si trattava evidentemente di una paziente nuova, perché il suo nome mi era sconosciuto. E ignoravo anche da quale disturbo fosse affetta: *solo per colloquio* precisava una annotazione della segretaria.

Infilai il camice, sostituii le scarpe con gli zoccoli ortopedici e accesi la luce verde per segnalare al ricevimento che potevano iniziare a mandarmi i pazienti.

Aspettavo una donna, Luisa Morini, e invece entrò un uomo la cui vista mi lasciò per qualche istante pietrificata: era Roberto Verdi, il giudice minorile che ci aveva tolto Sara per affidarla a mia madre.

«Aspetto una paziente» dissi riprendendomi. Finsi di ignorare la mano tesa verso di me e abbassai la testa sull'elenco. «Luisa Morini» precisai.

«È mia moglie. Ma ho preferito incontrarla senza di lei, Irene.»

Mi aveva chiamato famigliarmente per nome anche tre anni prima. «*Irene, mi dispiace davvero, ma adesso non posso fare diversamente. È solo una decisione provvisoria...*»

«Vedo che si ricorda di me» dissi con un acre sapore di fiele nella gola.

«Il caso di Sara è stato uno dei più tristi che ho dovuto...»

«Non la chiami un *caso*!» Ritrovai immediatamente l'autocontrollo. «Di che cosa vuole parlarmi?»

Esitò. «Di mia moglie... Ma forse ho sbagliato a rivolgermi a lei. Me lo ha suggerito la mia amica Antonia Pozzi, assicurandomi che lei è una bravissima logoterapista.»

Antonia Pozzi, l'assistente sociale. Era stata anche amica mia. E l'unica, oltre a me e Tommaso, a capire qual era il vero bene di Sara. Perché il giudice non aveva seguito anche allora il consiglio di Antonia?

«Cerco soltanto di fare il mio lavoro con scrupolo» dissi asciutta. «Che cos'ha sua moglie?»

Esitò di nuovo, poi mi porse una piccola cartella. «Sei mesi fa ha avuto una emorragia cerebrale... Il chirurgo che l'ha operata ha fatto alcuni appunti per la rieducazione fonetica: può leggere lei stessa.»

Li scorsi velocemente. La vasculopatia aveva causato una piccola lesione dell'emisfero cerebrale sinistro. Luisa Morini, benché clinicamente guarita, aveva ancora alcune difficoltà nell'articolazione della parola. Era un tipico caso di anartria, che, pur lieve, avrebbe richiesto una lunga riabilitazione.

Restituii la cartelletta al giudice. «Ho letto.»

«E allora?»

Fui io, stavolta, a esitare. «Da sei mesi, in questo centro, lavora un altro logoterapista. Molto bravo e scrupoloso... Forse è meglio che si rivolga a lui, dottor Verdi.»

«Capisco» disse guardandomi.

«No, non può capire. Il *caso* di Sara ha distrutto anche la mia vita e non sono sicura di poter curare sua moglie come se fosse una paziente uguale alle altre. *Non lo è*, proprio perché è sua moglie. E me ne ricorderei ad ogni incontro.»

«Mi dispiace. E non solo per il suo rifiuto.»

Ricambiai la sua occhiata. «Francamente, dottor Verdi, mi stupisce che si sia rivolto a me. O non dovrei? Tre anni fa diede già prova di non avere alcuna sensibilità.»

«Speravo che col tempo lei avesse capito.»

Mi rifiutai di cogliere la nota di sincero dolore che vibrò nella sua voce. «Non capirò mai come si possa togliere una bambina a due persone che... Ma ormai non c'è più niente da fare.»

«Sono sempre stato dalla vostra parte, come Antonia Pozzi. Purtroppo non ho avuto il tempo per smantellare il castello di accuse e di prove fasulle che giocavano a vostro sfavore. E non potevo lasciare una minore affidata a un uomo che aveva costretto la povera moglie a fuggire e alla cognata che aveva una tresca con lui. Qualcuno sarebbe ricorso al presidente del Tribunale, i miei stessi colleghi avrebbero potuto... Ma lei ha ragione, ormai non c'è più niente da fare.»

Per anni mi ero aggrappata all'odio per il giudice minorile, alla certezza che fosse stato il sinistro burattinaio della tragedia di Sara. All'improvviso, senza questo odio e questa certezza, mi sentii naufragare. *Anche lui era stato dalla nostra parte…*

Ricacciai le lacrime. «Non me la sento lo stesso di curare sua moglie, dottor Verdi.»

«Capisco.» Mi rivolse un breve, triste sorriso. «Non ripeta che non posso capire: anche se quanto le ho detto mi rende meno disumano ai suoi occhi, io rappresento un legame con un passato che lei non è ancora riuscita a dimenticare. È così, Irene?»

Annuii. «Sì, è così.»

Mi tese la mano e stavolta non ritrassi la mia. «Non si preoccupi per mia moglie, troverò un terapista lontano da qui.»

« Non è un caso grave» sentii l'urgenza di rassicurarlo. «Disturbi come il suo si risolvono di solito in pochi mesi. Le faccio tanti auguri, dottor Verdi.»

«Anch'io. Lei è una brava ragazza, Irene.»

«Vivo ancora con Tommaso Rocca. Adesso abbiamo davvero una relazione» dissi con amarezza.

Non mi sembrò sorpreso. «Meritate entrambi ogni bene.»

Il passato è inamovibile: l'avevo sempre saputo, ma per oltre due anni mi ero illusa che la nuova casa e la nuova vita avessero eretto una barriera tra noi e le perdite, gli sbagli, i dolori che ci lasciavamo alle spalle. La disperata confessione di Tommaso e l'incontro con il giudice minorile mi fecero capire che ciò che è avvenuto non si cancella più perché continua a perpetuarsi in ciò che avviene e avverrà.

Se Antonio non mi avesse lasciata, la mia esistenza avrebbe avuto un altro corso. Se Tommaso non avesse incontrato Benedicta, sarebbe diventato un grande pittore.

Se non avessero avuto una bambina in affidamento, non sarei mai corsa nella loro casa. Se Benedicta non si fosse innamorata di un altro uomo, Tommaso non si sarebbe mai innamorato di me. Se Sara non fosse morta, non avrei avvertito la violenta negazione della maternità. Se la moglie del giudice non si fosse ammalata, non avrei mai ritrovato la fiducia nel genere umano. In quali altri eventi, in quali altre persone il passato si sarebbe ripresentato?

Adesso capivo che non avrei potuto mai lasciare alle spalle neppure la mia famiglia. Anche se non frequentavo più nessuno, anche se una totale indifferenza aveva preso il posto della disistima e del rancore, non potevo illudermi di essere un'orfana.

La morte di Sara e la mia relazione con Tommaso avevano diviso il grande clan facendo esplodere le tensioni, le meschinità, le gelosie che erano sempre rimaste sotterranee. Tutti avevano recitato e alla fine gettato la maschera. Quel grande clan diviso mi appariva ora come il vaso di Pandora: poteva scoperchiarsi in qualsiasi momento, buttando addosso alla mia vita qualsiasi male.

La sera stessa parlai a Tommaso dell'inattesa visita del giudice minorile raccontandogliene tutti i particolari.

Non mi sembrò affatto sorpreso nell'apprendere che il dottor Verdi era stato solidale con noi anche quando lo ritenevamo il nostro peggior nemico.

«Lo sapevo già» Tommaso alla fine dovette ammettere. «L'anno scorso l'ho incontrato all'aeroporto di Linate e abbiamo fatto il viaggio per Roma con lo stesso aereo. Sono stato io a dirgli che stiamo insieme.»

«Perché non mi hai mai parlato di questo incontro?»

«Non sapevo come avresti reagito. Avevo paura di turbarti parlandoti del passato.»

Nel volgere di ventiquattr'ore Tommaso era riuscito a buttare fuori quello che non aveva mai osato: non voleva figli e si era riconciliato con il nemico. Per lui fu come liberarsi da un peso: finalmente tra noi non esistevano più zone d'ombra, argomenti tabù, temi da affrontare con circospezione.

Più avanti, ricostruendo la storia del nostro rapporto, avrei visto proprio in quelle ventiquattr'ore l'inizio di una nuova fase con uno scambio di ruoli destinato via via ad accentuarsi: grazie a me, lui diventava il partner reattivo, rassicurante, leader. E più lui si rafforzava, più io mi sentivo insicura, frustrata, dipendente. Avevo creato il mostro e il mostro rischiava di divorarmi: ma lo amavo con appassionato masochismo e non l'avrei mai lasciato.

Naturalmente gli nascosi per molto tempo quello che stava accadendo dentro di me. Vissuta per vent'anni fra teatranti, avevo imparato a recitare anch'io. Sapevo ridere quando non ne avevo voglia, simulare desiderio quando lui mi desiderava, compiacere quando avrei voluto ribellarmi o contraddire.

«Che cosa ti sta succedendo?» mi chiese un giorno Simona preoccupata. Bastò un "niente" per tranquillizzarla. Era deconcentrata e con la testa altrove. Dopo cinque mesi di fidanzamento ufficiale, stava per sposare il medico che una notte aveva chiamato d'urgenza per una colica del padre.

Si chiamava Emanuele, aveva trentun anni, i genitori erano proprietari di un negozio di arredi sacri con annessa libreria e il fratello gemello, dopo aver preso i voti, era entrato in un convento di frati.

«Hai realizzato un sogno» scherzai quando Simona mi parlò per la prima volta di lui.

Mi rispose piccata che era proprio così: aveva trovato l'uomo che cercava e il fatto che provenisse da una famiglia religiosa e onesta non le sembrava motivo di scherno.

Il timore che Emanuele enfatizzasse il conformismo e l'intolleranza di Simona si rivelò infondato: conoscendolo, mi sembrò un ragazzo dolce, gentile e allegro. E non faceva che punzecchiare la fidanzata per la sua intransigenza.

Fu Simona a dirmi che Benedicta era ritornata dall'America: se provvisoriamente o per sempre, se sola o con l'amante assieme al quale era fuggita non si sapeva.

La mia amica l'aveva vista, *sicuramente, senza ombra di dubbio*, mentre entrava alla Rinascente.

Quando glielo dissi, Tommaso cadde dalle nuvole. Ma due giorni dopo ne ebbe la conferma: l'avvocato di Benedicta lo convocava nel suo studio per un incontro con la ex moglie.

«Parleranno tra avvocati: io non intendo assolutamente incontrarla» dichiarò.

«Nemmeno per divorziare?» obiettai. Stavano per scadere i tre anni di separazione, e mi sembrava che quello fosse il modo più semplice e radicale per porre fine a un matrimonio sbagliato.

Bofonchiò qualcosa come "ci penserò". Più tardi mi disse che prima di vedere Benedicta intendeva sapere qual era il motivo di quell'incontro. E telefonò al solito avvocato amico: si poteva informare?

La relazione tra Benedicta e l'americano era durata un anno, trascorso il quale lei aveva lasciato New York per seguire a Annapolis, nel Maryland, l'ufficiale di marina di cui si era nel frattempo incapricciata. Un permesso di soggiorno per motivi di studio, ottenuto grazie all'intervento e alle fideiussioni bancarie del ricco padre, le aveva consentito di risiedere senza problemi negli Stati Uniti.

Ma la sua massima aspirazione era diventare cittadina americana sposando Phil, il suo ufficiale. Dopo una lunga convivenza, l'uomo si era legato a lei al punto da volerla sposare. E Benedicta era tornata in Italia per ottenere il divorzio.

Seppi tutti questi particolari da Tommaso, che a sua volta li aveva appresi dall'avvocato della ex moglie. «Mi pare che tu e Benedicta vogliate la stessa cosa» osservai al termine del racconto.

«Lei più di me.»

«E allora?» Non sapevo se a irritarmi fosse il suo sorrisetto cattivo oppure la scoperta che non aveva alcuna fretta di tornare libero.

«Allora la farò aspettare. Non dimenticare che chiesi una separazione per colpa, denunciandola… Il futuro marito ignora questo e sarebbe un disastro se lo venisse a sapere. I genitori sono molto cattolici e gli antenati furono tra i puritani della Virginia che avevano fondato la città di Annapolis. Facendomi sapere queste cose, Benedicta mi ha messo in mano un'arma formidabile. Avrà il divorzio alle mie condizioni e coi miei tempi: lunghissimi. Al punto che il marinaio si stancherà di aspettarla» ghignò.

Era superfluo chiedergli perché volesse fare questo: finalmente sua moglie poteva essere punita e capire, in minima parte, il significato della sofferenza e della perdita. Forse era giusto. Ma sicuramente per me era triste toccare con mano che il suo odio per Benedicta era più grande dell'amore per me, che la gioia di negarle il divorzio era più grande di quella di potermi sposare.

X

Il Poliambulatorio chiudeva per ferie dal 5 al 20 agosto e quell'estate per la prima volta anche l'agenzia di Tommaso poteva smobilitare per due settimane perché le campagne pubblicitarie dell'autunno, presentate ai clienti per il visto definitivo, erano state approvate senza le solite richieste di variazioni o integrazioni dell'ultima ora.

Io avrei voluto trascorrere quelle due settimane al mare, che fin da bambina era stato per me sinonimo di vacanza, ma Tommaso fece mille obiezioni: è troppo tardi per trovare un posto decente, detesto i carnai del ferragosto, l'idea di attraversare l'Italia in macchina per raggiungere una spiaggetta del Sud mi stressa in partenza...

Alla fine fu lui a propormi l'alternativa: unirci al suo collega Sandro Ferrario e alla moglie per una vacanza in un agriturismo di Val Belluna.

Il padre di Ferrario e due soci avevano acquistato un vecchio casale con un grande appezzamento di terreno trasformandolo in una confortevole residenza: dall'aria condizionata alla piscina, dal maneggio al minigolf, dalla stalla alla cantina, non mancava proprio nulla. "L'angolo di Paradiso" illustrato e descritto dal dépliant a me parve un piccolo Eden del consumismo costruito ad uso dei naturisti snob.

Ma non volli inquinare l'entusiasmo di Tommaso e, soprattutto, rinunciare all'unico aspetto positivo di quel soggiorno: spezzare il nostro isolamento. Ad eccezione di sua madre, la mia amica Simona e il fidanzato Emanuele non frequentavamo nessuno. La fine del matrimonio con Benedicta aveva segnato anche la fine della sua vita sociale: lo scambio di visite e inviti, le cene per i colleghi organizzate nel villone di San Siro, i fine settimana ospiti di questo o quell'amico.

Per la prima volta, adesso, Tommaso si mostrava desideroso di trascorrere un periodo con uno di loro: era un buon segno. Inoltre, per due settimane avremmo fatto vita di coppia con un'altra coppia: e anche questo mi parve un buon segno. *Come il decoder di Antonio?* Rintuzzai infastidita la voce maligna.

Alla vigilia della partenza, Tommaso tenne a precisare che Ferrario si era separato dalla moglie e che Monica, la ragazza con cui sarebbe venuto in Val Belluna, era la sua assistente. La loro relazione non era ancora ufficiale, e perciò era meglio che non mi lasciassi sfuggire nulla con Ferrario padre.

Una coppia di amanti con un'altra coppia di amanti. «Perché mi hai parlato di lei come *moglie* del tuo collega?» chiesi a Tommaso in un tono che a me stessa sembrò esageratamente aggressivo.

«Non immaginavo che fossi tanto conformista. Moglie o compagna, che differenza fa?»

Avanti, spiegaglielo. «Scusa, hai ragione» dissi invece. Possibile che l'altra parte di me fosse rigorosa e puritana come Simona?

Sandro mi presentò a suo padre come la moglie di Tommaso e gli lasciò intendere che Monica fosse una mia grande amica oltre che loro compagna di lavoro. Mi stupii per la reazione imperturbabile di quella ragazza. O era dotata di un eccezionale autocontrollo oppure era priva di orgoglio: al posto suo, mi sarei sentita furiosa e umiliata per l'ipocrisia del mio compagno.

Fin dal primo incontro ebbi la sensazione che difficilmente avrei potuto legare con lei e, col passare dei giorni, ne ebbi la certezza. Dietro i suoi comportamenti accattivanti e spontanei avvertivo qualcosa di sfuggente che mi impediva di abbassare la guardia. Dietro il suo abbigliamento apparentemente casual e il suo bel viso all'acqua e sapone solo io, in quanto donna, potevo scorgere la ricerca accurata e il risultato d'un lungo e sapiente maquillage.

Una sera Monica mi confessò di non amare affatto i cavalli, ma al mattino seguente accettò con entusiasmo di seguire al maneggio Sandro e Tommaso e cominciò a prendere delle lezioni per poter cavalcare con loro. Un'altra sera, dimenticando di avermi detto che non era mai stata in America, si buttò a capofitto in una descrizione di New York e di un affascinante tour attraverso i Grandi Laghi. Sembrava smaniosa di compiacere ogni desiderio, ogni richiesta. Un giorno si offrì di accompagnarmi a fare una gita sul torrente Agordo nonostante avessi il sospetto che le passeggiate solitarie e le bellezze naturali la lasciassero del tutto indifferente.

Tommaso mi accusò di essere prevenuta nei suoi confronti. «È vero che Monica fa di tutto per mettersi nella luce migliore, ma ciononostante è una ragazza che merita rispetto. È cresciuta senza padre, in una famiglia senza mezzi, e per diplomarsi ha fatto una vita grama: lavorava di giorno e studiava di sera.»

Povera e arrampicatrice: conoscevo il tipo. Ma facendolo osservare a Tommaso gli sarei apparsa ancor più prevenuta nei confronti di quella ragazza tutta sacrificio e forza di volontà. Monica simulava? Mi sarei sforzata di simulare anch'io un atteggiamento più amichevole.

Ma lo sforzo mi fu risparmiato da un colpo di scena degno di un feuilleton: il quinto giorno del nostro soggiorno piombò in Val Belluna la moglie di Sandro Ferrario, Tiziana. Attraverso la scenata a cui mio malgrado dovetti assistere venni a sapere che erano separati soltanto di fatto, e da neppure un mese.

Monica fece i bagagli in gran fretta e Tommaso, pregato dal padre di Sandro, la accompagnò con la sua macchina alla stazione di Belluno. Mentre marito e moglie continuavano a litigare furiosamente, l'uomo espresse con me la sua indignazione usando un linguaggio dall'esplicita rozzezza: suo figlio era doppiamente coglione, per aver creduto di menarlo per il naso e per essersi lasciato rigirare da quella sciacquetta. Io gli ero sembrata una signora, ma si era sicuramente sbagliato perché una signora non avrebbe mai accettato di tenere bordone a una tresca.

Quando Tommaso tornò dalla stazione, decidemmo di comune accordo di partire anche noi. Sandro non aveva ancora smesso di litigare con la moglie e così ce ne andammo senza poterlo salutare. Sulla strada del ritorno scorgemmo l'insegna di una locanda con un cartello che diceva: *stanze ancora libere*.

Seguendo la freccia, ci inoltrammo in una piccola strada sterrata e dopo circa duecento metri arrivammo davanti all'ingresso di una vecchia casa rettangolare circondata dai platani. Sull'intonaco qui e là scrostato della facciata si arrampicavano i rami verdi di un gigantesco lillà.

L'effetto d'insieme era molto romantico, decisamente in contrasto con l'approccio scorbutico e manageriale della anziana signora tedesca che ci accolse: soltanto dopo aver appurato che non portavamo cani, non eravamo turisti di passaggio intenzionati a fermarsi una sola notte e avevamo una carta di credito ci fece strada sulla breve scala che portava verso l'ultima stanza libera.

«Non c'è televisore e non c'è aria condizionata» annunciò aprendo la finestra, «però di giorno c'è l'ombra degli alberi e di notte entra l'aria fresca del torrente.» Ci consegnò la chiave e si congedò con un rigido cenno di saluto.

Tommaso mi guardò. «Ma che posto è, questo?»

La sua espressione frastornata mi fece mio malgrado ridere. «Tra dieci giorni la prussiana ci rimetterà in libertà? Il vero interrogativo è questo!»

La "prussiana", come apprendemmo il giorno dopo, si chiamava Helga e aveva gestito per oltre trent'anni quella locanda con il marito italiano. Alla morte del marito, una sorella nubile di lui l'aveva affiancata nella conduzione. Helga riceveva gli ospiti e si occupava di tutta la parte amministrativa, la cognata Serafina aveva la responsabilità della cucina. Erano due lavoratrici instancabili e con l'aiuto di una sola ragazza riuscivano a pulire le dieci stanze e a servire ai tavoli. Soltanto nella stagione estiva veniva un'altra ragazza a dare una mano.

La locanda era rinomata nella zona per l'ottima cucina e da maggio a settembre arrivavano i pensionanti: una clientela fedelissima, rappresentata da patiti della pesca e autentici amanti della natura. L'argine del torrente consentiva lunghe passeggiate, in bicicletta o a piedi, e una mappa incorniciata in tutte le stanze segnalava i suggestivi itinerari dei dintorni.

Helga, vinta la diffidenza per i clienti di passaggio, cominciò a trattarci con simpatia. Nella naturale ruvidezza dei suoi modi avvertivamo adesso la premura, l'interesse, il desiderio di rendere gradevole il nostro soggiorno. Ci procurò due biciclette, mi prestò i suoi scarponcini per consentirmi l'arrampicata fino alla vicina cascata, e quando Tommaso le disse che uno dei suoi piatti preferiti era il baccalà alla veneta, glielo fece preparare dalla cognata.

Alla sera, ci fermavamo a chiacchierare con lei. Helga dava per scontato che fossimo sposati perché sin dal nostro arrivo Tommaso si era riferito a me dicendo *"mia moglie"*.

Questo mi causò una oscura sensazione di disagio e di rancore: Tommaso si comportava come Sandro, facendomi sentire una simulatrice come Monica. Avrei voluto dirglielo subito, ma come sempre mi accadeva di fronte a un argomento delicato ero bloccata dal pudore; mi vergognavo di parlare di qualcosa che mi faceva vergognare.

Per giorni, mentre passeggiavamo, camminavamo, chiacchieravamo e persino mentre facevamo l'amore, quell'argomento continuava a rodermi e cercavo il momento giusto e le parole giuste per affrontarlo.

«Da quanto tempo siete sposati?» chiese una sera Helga senza alcuna malizia.

Tommaso rispose senza un istante di esitazione: «Da quasi tre anni».

Quando salimmo nella nostra stanza fece per abbracciarmi, ma io mi divincolai. «Perché hai fatto credere che siamo sposati?»

Mi guardò quasi stupito. «Che problema c'è? L'hai sempre detto anche tu, è come se lo fossimo.»

«Ma non lo siamo.»

«Irene, non è certo una firma a fare la differenza.»

«Se per te è lo stesso, perché non ci sposiamo?»

«Anche se lo volessi, sono ancora il marito di Benedicta.»

Anche se lo volessi... Passarono alcuni istanti che mi sembrarono un'eternità prima di afferrare il significato di quelle parole, e quando finalmente vi riuscii, l'avvilimento mi piegò le spalle. Non voleva un altro figlio, non voleva un'altra moglie e in quel momento io non volevo che annaspasse negli alibi o in una penosa marcia indietro: non lo avrei sopportato.

«Hai ragione, scusami» dissi mettendomi vilmente in salvo. Quando mi tese le braccia, col viso allargato in una espressione di sollievo, non mi ritrassi: e mi sembrò di aver toccato il fondo dell'abiezione.

Al ritorno dalle ferie trovai al Poliambulatorio una lettera di mio padre, scritta su carta intestata del suo studio notarile. Anche il contenuto era di carattere ufficiale: mi pregava di mettermi subito in contatto con lui per la firma di alcuni documenti inerenti la successione della zia Giana.

Si trattava in realtà di una prozia di mio padre, che ricordavo di aver visto vecchia fin da quando ero bambina. Non si era mai sposata e io e lui eravamo gli unici parenti che avesse, anche se era più affezionata ai suoi gatti che a noi.

Fui tentata di non rispondere neppure a quella lettera. Provavo soltanto un generico dispiacere per la morte di quella eccentrica e solitaria vecchietta e avevo il sospetto che la firma dei documenti fosse un pretesto suggerito da mia madre a mio padre per potersi mettere in contatto con me attraverso di lui.

Era accaduto altre volte nel corso delle vicende che avevano diviso le nostre famiglie: e quello che rimproveravo a mio padre era proprio l'essersi fatto strumentalizzare e tirare da una parte all'altra, e sempre contro di me. Alla fine avevo rotto i ponti anche con lui. Letta la lettera, telefonai al suo studio alle otto e mezzo del mattino, quando sapevo di trovare soltanto la più anziana delle sue segretarie e la pregai di riferire a mio padre che poteva firmare a nome mio tutte le carte inerenti la successione.

Quel giorno stesso lui mi chiamò personalmente ed entrò subito nel merito, come se ci fossimo sentiti l'ultima volta la sera prima: la zia Giana aveva lasciato a noi due l'unica proprietà, la villetta della Brianza in cui viveva, a condizione che vi lasciassimo i suoi gatti e provvedessimo a tutto ciò di cui avevano bisogno.

«È una villetta cadente che non vale neppure i soldi di una eventuale ristrutturazione» mio padre mi spiegò. «Per questo ho deciso di cederla gratuitamente al Comune, o a un Ente, che se la pigli con tutti i gatti. Ma per fare questo

ho bisogno che tu venga nel mio studio a firmare la rinuncia alla tua metà e una delega per la cessione. Se però sei
interessata alla villa, nonostante il gravame, va da sé che
cederò a te la mia parte.»

«Non sono interessata, grazie. Verrò senz'altro a firmare.» Amavo i gatti e gli animali in genere, ma non certamente al punto di votargli la mia esistenza come la solitaria prozia.

«Sono pieno di impegni: devi dirmi esattamente quando intendi venire.»

Riflettei rapidamente. «Domani pomeriggio alle sette.
Ti va bene?»

«Sì. Non mancare.»

Quando raccontai a Tommaso quella telefonata, non
riuscii a nascondergli né l'amarezza per il tono distaccato
di mio padre né il disagio di doverlo incontrare. Respinsi
la sua offerta di accompagnarmi: la sua presenza al mio
fianco avrebbe reso tutto ancora più difficile, dando la
stura a una nuova ondata di malevolenze e pettegolezzi.

Ma il giorno dopo, alle sette, lo trovai con la sua macchina davanti al Poliambulatorio: non intendeva assolutamente lasciarmi sola. Se proprio non volevo farlo salire da
mio padre, sarebbe rimasto davanti al portone dello studio per riportarmi a casa.

Apprezzai più di quanto potessi ammettere questo
suo gesto di sensibilità. E il sapere che mi stava aspettando rese più facile l'incontro con mio padre: la mia famiglia, adesso, era Tommaso. A ventinove anni era assurdo
continuare a sentire la mancanza di due genitori amorosi.

La lettura del testamento della prozia, la firma per la
cessione della mia parte e quella per la delega a vendere
richiesero poco più di un quarto d'ora. Quando tutto fu
finito, mi alzai con sollievo e tesi la mano a mio padre.

«Un momento, Irene.»

Che cosa altro c'era? Prima che potessi chiederglielo,

si diresse verso la porta alla sua destra e la aprì. «Puoi venire» disse.

Mia madre emerse dal vicino salottino come una colomba dal cappello del prestigiatore. Lo stupore fu tale che rimasi a fissarla con la bocca aperta.

«Devo parlarti» disse asciutta.

Mi ripresi istantaneamente. Spostai con malgarbo mio padre dalla porta del suo studio e corsi verso l'ascensore. Siccome l'ascensore non arrivava, cominciai a scendere le scale a piedi, più in fretta che potevo.

Ma non avevo fatto i conti con l'agilità e lo scatto di una cinquantacinquenne che aveva fatto del proprio corpo una religione e della palestra un luogo di culto. Ero appena uscita dal portone quando mia madre mi afferrò per un braccio trattenendomi ad artiglio. Io ansimavo, la sua voce era ferma. «Tu adesso mi ascolti.»

Nemmeno mi accorsi dell'arrivo di Tommaso. All'improvviso sentii due mani sottrarmi a quella stretta e udii la sua voce, ancora più ferma. «Lasciala stare.»

Mia madre ebbe una inaspettata reazione di autocontrollo. Invece di aggredirlo istericamente, gli rivolse un sorriso quasi cordiale. «Mi fa piacere che ascolti anche tu, Tommaso.»

«Andiamo via» gli dissi, ignorando quelle parole.

Sorrise anche a me. «E dove, Irene? Nel vostro bel nido d'amore? Verso il tuo felice futuro di amante?»

«Questo non ti riguarda» abbaiò Tommaso.

«Ma riguarda Irene. Forse non le hai detto a quali vergognosi mezzi sei ricorso per negare il divorzio a Benedicta.»

No, non me lo ha detto. Aspettai che Tommaso replicasse qualcosa, ma mia madre non gliene diede il tempo.

Si rivolse nuovamente a me. «Per colpa sua Benedicta rischia di perdere l'uomo che ama. Ma, che tu ci creda o no, è soprattutto per te che mi preoccupo. Benedicta è una ragazza forte che sa quello che vuole, e in un modo o nell'altro l'ha sempre ottenuto. La perdente nata sei tu! Dove sono finiti il tuo orgoglio, il rispetto di te? Non ti sembra indecente continuare a vivere con un uomo deciso a restare sposato con un'altra? Non interrompermi! Io non sono più sicura che Tommaso rifiuti il divorzio per dispetto, per puntiglio... Comincio a sospettare che lo faccia per non essere costretto a sposare te! E perché dovrebbe farlo? È la situazione più comoda: tu gli dai tutto, lui non ti dà niente.»

Tommaso quasi la aggredì, rosso in viso. «Come ti permetti?»

«È quello che chiedo a mia figlia: come puoi permettergli di trattarti in questo modo? Irene, prima o poi ti pianterà come ha fatto Antonio: è la fine di tutte le relazioni.»

La fissai con ferocia. «Tu e Benedicta siete la miglior prova che anche i matrimoni finiscono.»

«È vero. Ma decidiamo noi come e quando. Nessuno ci ha mai usato e gettato via.»

Tommaso mi prese per un braccio. «Vieni, Irene.»

Verso il felice futuro di amante? «Credo che tu abbia detto tutto quello che volevi, mamma.»

«No, non tutto. Se ti è rimasto un minimo di decenza, esigi almeno che divorzi da Benedicta.»

Tornammo a casa in silenzio. Mentre lui parcheggiava, io salii verso il "nido d'amore". Andai in cucina e inghiottii un'aspirina: la testa mi scoppiava e la nausea mi premeva lo stomaco con la durezza di un pugno.

Tommaso mi raggiunse dieci minuti dopo, mesto. Ma stavo troppo male per avvertire anche il peso del suo silenzio carico di impaccio e di disagio.

Aprì il frigorifero per cercare una bottiglia di acqua minerale. Riempì un bicchiere e bevette a piccoli sorsi. Raddrizzò il calendario che si era spostato sulla parete. Si soffermò davanti alla lavagnetta a leggere le annotazioni delle spese da fare. Sciacquò il bicchiere che aveva posato sul lavello. Sembrava un'anima in pena.

«Fermati!» gemetti.

«Tua madre ha ragione.» Si arrestò di colpo e restò fermo a guardarmi.

Ha fatto il suo atto di contrizione e adesso aspetta il premio. Forza, digli qualcosa. Anche la parte cauta e vile di me si stava incattivendo. Ricambiai lo sguardo di Tommaso. «A quali mezzi sei ricorso per non dare il divorzio a Benedicta?»

«Non ha più importanza. Domani le farò sapere dal mio amico Giuseppe che sono pronto per andare dal giudice.»

«Ma lei vuole la separazione consensuale, non quella per...»

«Avrà tutto quello che vuole.»

XI

Tommaso e Benedicta ebbero il divorzio alla fine di novembre. Sei giorni dopo partecipammo insieme al matrimonio di Simona ed Emanuele, rinviato di due mesi per consentire al padre di lei di rimettersi da un intervento chirurgico all'intestino.

La cerimonia si svolse nella cappella del convento dove il fratello di Emanuele viveva e fu lui ad officiarla.

Io fui la testimone di Simona. Non avevo mai visto una sposa così raggiante, né un abito fastoso come il suo, né un profluvio di fiori simile a quello che addobbava l'altare, i banchi e ogni angolo della cappella.

«Sarà il giorno più importante della mia vita», mi aveva detto Simona, «e voglio *tutto*!». Un quartetto d'archi, alla sinistra dell'altare, accolse il suo ingresso nella cappella al braccio del padre.

La sola cosa su cui Simona aveva lesinato erano gli inviti: eravamo in trenta. «Voglio solamente le persone che amo», aveva detto ancora. Tommaso non era certamente tra queste, e la sua presenza rappresentava la massima prova d'affetto per me.

Al momento dello scambio degli anelli gli sposi si scambiarono anche, con voce incrinata dalla commozione, una frase che suggellava la religiosa solennità del loro impegno. Poi toccò a me salire sull'altare: Simona aveva voluto che nel giorno più importante della sua vita si levasse anche la voce dell'amica di sempre.

Intimidita e commossa mi avvicinai al microfono. Per oltre un mese avevo pensato alle parole che la mia amica avrebbe voluto udire, scegliendo con cura quelle che mi sembravano più significative, più belle. Ma quando i ragazzi del quartetto intonarono le prime note di un oratorio di Haydn, facendomi segno che potevo cominciare, nella mia mente si fece il vuoto.

In balia del panico, aprii e chiusi la bocca lanciando un'occhiata disperata agli sposi. Simona mi rivolse un sorriso luminoso.

«Io... io non ricordo quello che volevo dire...» annaspai. «Ma forse perché erano le solite frasi, le solite citazioni...»

Ripresi fiato. «Ho capito soltanto adesso perché Simona ha voluto il vestito più bello, la cappella piena di fiori, le note della *Creazione*... Questo è il giorno più importante della sua vita perché è diventata parte di Emanuele ed Emanuele parte di lei. La solitudine della nascita finisce col matrimonio... Il vero matrimonio è questo: essere in due, per sempre. Alzare gli occhi o allungare una mano per sapere che l'altra parte di te è lì, e non dovrai mai più cercare altrove delle persone che ti possano aiutare, consolare, dare forza. Nessuna delusione e nessuna sofferenza saranno mai grandi come il legame che unisce Simona ed Emanuele. Perché la vera felicità, indistruttibile, è quella che per voi, Emanuele e Simona, è cominciata oggi: siete diventati marito e moglie.»

Scesi a testa bassa, quasi correndo, dall'altare mentre il suono degli archi inondava la cappella. Non volevo che Simona mi vedesse piangere. Tommaso si fece da parte per farmi riprendere il mio posto accanto a lui. Quando fui seduta, mi strinse silenziosamente una mano.

Il pranzo di nozze si svolse nel refettorio del convento, addobbato a festa e pieno di luci. «Detesto le sale dei palazzi prese in affitto o i pranzi similruspanti nelle trattorie di campagna» aveva scherzato Simona.

E ancora una volta dovetti darle ragione. I due cuochi scelti da sua madre avevano preparato un pranzo di altissima cucina. E l'atmosfera del refettorio fu allo stesso tempo intima e scatenata.

Tre giovani frati si esibirono in un revival di successi degli anni Sessanta accompagnandosi con la chitarra, il priore si rivelò un irresistibile barzellettiere, il fratello dello sposo, astemio, si ubriacò al secondo brindisi. Alle otto di sera i primi segni di stanchezza furono esorcizzati dalla grande tombola che una zia di Simona, sua madrina di battesimo, aveva organizzato come originalissimo regalo di nozze: i trenta invitati si aggiudicarono giocando gli altrettanti deliziosi oggetti che zia Franca aveva scelto e confezionato con cura. Mano a mano che si vinceva, si sceglieva il pacchetto e ci si ritirava dalle successive partite. Io vinsi una piccola cuccuma di rame, Tommaso un fermacravatte in argento e smalti.

La lunga giornata finì poco prima di mezzanotte. Simona mi strinse in un lungo abbraccio. «Il tuo bellissimo discorso conteneva un'inesattezza: dentro di me ci sei anche tu. Ma non dirlo a mio marito» mi sussurrò scherzosamente. Quando ci sciogliemmo dal lungo abbraccio, mi accorsi che aveva gli occhi lucidi.

Per tutta la strada del ritorno mi sforzai di tenere viva la conversazione: più che il silenzio, mi spaventavano i cupi pensieri in cui Tommaso sarebbe sprofondato: ricordi amari, sensi di inadeguatezza, sensi di colpa. Ero certa che non sarei più riuscita a colmare quel silenzio tanto insidioso. E così continuai a parlare, a parlare, a parlare.

Finalmente arrivò l'ora di dormire. Dopo avergli dato la buonanotte, spensi la luce e mi raggomitolai su me stessa, sotto la coperta. Un paio di minuti dopo Tommaso la riaccese. «Hai bisogno di qualche cosa?» gli chiesi senza spostarmi.

Fece di no con la testa e abbassò la coperta per guardarmi in faccia. «Hai sonno?»

«È molto tardi e sono stanca. Tu no?»

«Irene, con me non ti senti in due?»

Afferrai al volo il senso di quella domanda e il motivo per cui avvertiva l'urgenza di rivolgermela: voleva rassicurarsi e rassicurarmi. Spingermi ad ammettere che non era una cerimonia a fare la differenza e che anche noi, come Simona ed Emanuele, eravamo una coppia.

Ma non era così e prima o poi avremmo dovuto trovare il coraggio di affrontare onestamente il discorso. *Ma non in quel momento*, non a letto, non con il rischio di trasformarlo in una lite che si sarebbe risolta gettandoci l'uno tra le braccia dell'altra in un appassionato amplesso liberatorio.

«Irene, stai dormendo? Ti ho fatto una domanda.»

«Scusa, non ho sentito…»

«Stamattina, nel tuo discorso, hai parlato di solitudine. Stando con me, non ti senti in due?»

«Certo, soprattutto adesso. Se fossi sola potrei dormire in pace!» dissi in tono scherzoso girandomi ostentatamente su un fianco.

Lo sentii alzarsi, tornare a letto, alzarsi di nuovo. Per qualche istante fui tentata di dirgli sono sveglia, avanti, parliamone. Ma continuai a fingere di dormire. Il nostro era uno dei casi in cui le spiegazioni non risolvevano nulla e la chiarezza poteva soltanto portare alla luce una abissale inconciliabilità.

Io volevo con tutta me stessa quello che lui visceralmente rifiutava: nel momento in cui questa realtà fosse stata espressa, in modo definitivo e chiaro, la mia dignità e i suoi sensi di colpa ci avrebbero portati verso l'inevitabile rottura.

Purtroppo la passione prima o poi ci avrebbe spinto a cercarci di nuovo e la fine sarebbe arrivata dopo una interminabile altalena di riconciliazioni e abbandoni. Quante coppie si spezzavano così, estenuate e disamorate da questa altalena? Non avrei mai permesso che questo accadesse anche a noi.

Il mio silenzio tranquillizzò Tommaso e mi fece capire che la sua crisi era stata provocata dalla suggestione della cerimonia, dal quartetto d'archi, dalle mie parole agli sposi: come chi si commuove per la scena di un film o si emoziona ascoltando una musica struggente. Fu, appunto, una crisi emozionale. E epidermica.

Dopo le nozze di Simona il cambio dei ruoli all'interno della nostra relazione diventò definitivo: Tommaso diventò il partner sicuro e forte, io la cosiddetta partner debole. Siccome la mia serenità dipendeva dai suoi comportamenti e dai suoi umori, facevo di tutto perché si sentisse sempre più sicuro, sempre più forte. Era una generosità che nasceva dall'egoismo, e perciò senza gioia.

Una mattina, prima di andare in agenzia, mi chiese se poteva invitare a cena un nuovo collega con la fidanzata: perché no? Una sera tornò a casa con due biglietti per la Scala: un'idea meravigliosa, adoravo l'opera! Un giovedì mi chiese se mi avrebbe fatto piacere trascorrere il fine settimana a Madonna di Campiglio, a casa del suo presidente: sicuramente sì!

Giorno dopo giorno, Tommaso mostrava in modo sempre più evidente il desiderio di socializzare e di uscire, di riprendere i contatti con i vecchi amici. L'averlo ricondotto a una esistenza normale rappresentava il mio successo più grande, la prova che ero davvero riuscita a ridargli la serenità.

Ma lui che cosa ti dà? Niente di quello che vorrei, mi risposi. Lui stava bene, io stavo male. Condividevamo tutto, fuorché il lavoro, ma non c'era un solo attimo in cui mi sentissi *in due*.

Trascorremmo le feste di fine anno a Madonna di Campiglio, di nuovo ospiti del presidente dell'agenzia. Ma stavolta non eravamo soli e furono "feste" per modo di dire: il presidente aveva riunito i tre responsabili di una nuova campagna pubblicitaria per discutere la bocciatura del progetto fatta dal marketing del cliente e tentare di abbozzarne uno nuovo.

Fu in quella circostanza che rividi Monica, l'amante di Sandro Ferrario. E scoprii che da quattro mesi era diventata l'assistente di Tommaso.

«Sandro è ritornato con la moglie e Monica non poteva continuare a lavorare con lui» mi spiegò con naturalezza.

Perché non me l'aveva mai detto? Sarebbe stata una domanda da moglie gelosa, e la tenni per me. Io e la padrona di casa eravamo le uniche "non addette ai lavori" e chiacchierammo, facemmo qualche passeggiata, un pomeriggio andammo a Trento per vedere i mercatini del Natale.

La sera del 31 dicembre il presidente ci invitò tutti a cena alla Cascina Zeledria. A mezzanotte brindammo all'anno nuovo e solo in quel momento Tommaso, che era seduto al lato opposto della tavola, si avvicinò a me. «Auguri» sussurrò abbracciandomi.

Tornammo a Milano la sera del 3 gennaio, dopo altri tre giorni che Tommaso trascorse lavorando coi colleghi e io chiacchierando e passeggiando con la moglie del presidente.

«Non puoi negare di avere fatto una vacanza riposante» mi prese in giro Tommaso quando fummo a casa.

«Riposante? Sono *stremata* dalla noia.» Non avevo voglia di scherzare. «Perché diavolo mi hai portato con te, se sapevi di dover lavorare dieci ore al giorno?»

«Credevo che ti facesse piacere.»

«Un'altra volta chiedimelo.»

«È la prima volta che ti trascuro per lavorare, ma non puoi farmi sentire in colpa per questo. Hai passato qualche giorno un po' noioso, d'accordo: ma dove sta il dramma? Non ti sei nemmeno sforzata di nascondere il tuo malumore e questo, ti confesso, mi ha messo in imbarazzo di fronte al presidente, a sua moglie, ai miei colleghi. Speravo che al ritorno a casa tutto si risolvesse con una battuta. E invece no. Dove è finito il tuo senso dell'umorismo? Che cosa ti sta succedendo? Da qualche tempo ti stai comportando come la classica moglie lagnosa e frustrata... Se hai qualche problema, parliamone!»

Rosso in viso, si era sfogato in un crescendo di furia simile al mio. E fui io a farla esplodere, gelidamente. «La mia frustrazione è quella, *classica*, di tutte le donne a cui l'amore non basta» sibilai. «Non sono tua moglie, non avrò mai un figlio, non farò mai parte di una famiglia... E da qualche tempo...»

«Vuoi lasciarmi?» Tommaso mi interruppe con voce improvvisamente spaventata.

«Il mio problema è questo: se non mi lasci tu, io non ce la farò mai.»

«Io ti amo, Irene!»

Lo squillo del telefono lo costrinse ad allontanarsi preservandolo da una nuova esplosione d'ira: non sopportavo quel *ti amo* usato come una clava per abbattere i sensi di colpa e garantirsi l'impunità. Ti amo, e perciò tutto il resto non conta. Ti amo, e perciò devi perdonarmi tutto. Ti amo, e perciò non puoi sentirti umiliata, ferita, infelice.

Prima che la telefonata finisse, andai a chiudermi in bagno e feci scorrere l'acqua della doccia. Rimasi a lungo sotto il getto. Poi asciugai i capelli, feci una maschera tonificante, infilai la camicia da notte e raggiunsi Tommaso in cucina. «Sono stanca, vado a letto.»

«Vuoi mangiare un…»

«Non ho fame, grazie.» Indugiai un attimo di troppo.

Tommaso mi fissò a lungo. Poi emise un profondo sospiro. «Irene, io ho già avuto una moglie.»

«E me lo dici soltanto adesso? È una rivelazione sconvolgente!»

Ignorò il mio penoso sarcasmo. «Ho divorziato soltanto per un atto di rispetto nei tuoi confronti, ma…»

«Hai divorziato soltanto perché mia madre ti ha moralmente costretto a farlo.»

«È vero solo in parte: tua madre mi ha fatto capire che non potevo costringerti a convivere con un uomo sposato.»

«E niente altro?»

Sospirò di nuovo. «Gli otto anni che ho passato con Benedicta sono una realtà che non si può cancellare… Il divorzio stesso non cancella un matrimonio che c'è stato, ti ha segnato, ha fatto parte della tua vita. Io ti amo, Irene. Voglio vivere con te, invecchiare con te, "onorarti e rispettarti" sino alla fine dei miei giorni. Ma il matrimonio l'ho già avuto ed è stato un fallimento. Non può esserce ne un altro. Il nostro è un legame nuovo, diverso.»

« Non parliamone più.»

Il suo viso si illuminò. «Vuoi dire che rimani con me?»

Annuii con la testa. «Non parliamone più» ripetei.

Simona era incinta di sei settimane. Il ginecologo confermò il risultato del test di gravidanza che lei aveva ripetuto con l'apposito kit per ben quattro volte, subito dopo venne al mio Poliambulatorio per fare le analisi che le erano state prescritte. Non avrei voluto turbare la sua felicità di quel giorno con le mie tristezze, ma Simona quasi mi costrinse. Le avevo accennato al colloquio definitivamente chiarificatore con Tommaso, e volle che glielo riferissi parola per parola.

Alla fine, la sua reazione fu stupefacente: lo capiva. L'abbandono di Benedicta e i drammatici eventi che ne erano derivati gli avevano lasciato il marchio indelebile della sconfitta e della paura.

«In questi ultimi tempi è cambiato!» protestai. «Crede nel suo lavoro, ha ripreso a uscire, ha riallacciato i rapporti con i colleghi e gli amici.»

«Aggiungi pure che è diventato più estroverso, più allegro. Questo significa soltanto che si è chiuso nella sua piccola nicchia rendendola più confortevole: ma da lì non uscirà più perché Benedicta gli ha tagliato le palle. O ti rassegni a condividere la sua nicchia oppure te ne vai. Tommaso mi fa pena, ma la mia amica sei tu. E per questo ti dico che se hai un minimo d'amore per te stessa non puoi rimanere con un uomo che non potrà mai darti quello che vuoi.»

«Me lo sono detta io stessa mille volte… Ma nessun sacrificio, nessuna rinuncia mi farebbero soffrire come vivere senza di lui.»

«E se un giorno fosse lui a lasciarti?»

«Questo potrebbe succedere anche se fossimo sposati! In ogni caso non sarebbe una sofferenza che mi sono provocata da sola.»

Simona sorrise. «Dimenticavo la terza possibilità: sperare che avvenga un miracolo!»

In quel momento mi sentii infinitamente più vecchia ed esperta di lei. Simona credeva di aver detto una battuta, ignorando che un miracolo era la speranza, l'alibi, l'anestetico di tutte le donne per restare legate a un uomo sbagliato.

XII

Un sabato di maggio io e Tommaso fummo invitati a pranzo da Marco Zarra, un collega da poco assunto, e con grande sorpresa mi ritrovai di fronte Maura, la domestica della mia matrigna. Dopo un ennesimo scontro con lei, mi raccontò, si era licenziata e da alcuni giorni lavorava in quella casa.

Aggiunse che Iris era diventata "molto nervosa" e litigava persino con "quel santo uomo" di mio padre. Fu Maura a riferirmi, brevemente, le ultime notizie sull'ormai smembrato clan. Michele, il marito di mia madre, aveva rischiato di morire d'infarto e Benedicta era corsa in Italia per assisterlo. All'ospedale aveva litigato furiosamente con mia madre («la signora Iris ha detto che sono dovuti intervenire due medici per separarle»).

Fino a una settimana prima Benedicta si trovava ancora a Milano. Era andata nello studio notarile di mio padre per sapere se esisteva un testamento e aveva litigato anche con lui.

«Eravate una così bella famiglia!» Maura concluse scuotendo la testa.

Il sabato successivo appresi che Michele era morto scorrendo il Corriere della Sera. A funerali avvenuti, "l'adorata moglie" e "gli amatissimi figli" ne piangevano la scomparsa con due annunci separati, ignorandosi a vicenda.

La "bella famiglia" era ufficialmente scesa sul sentiero

di guerra! Provai nonostante tutto un sincero dispiacere per la morte di Michele, e mi strinse il cuore l'impudica spartizione che vedova e figli avevano fatto di lui, per aggiudicarsi l'esclusiva del suo affetto e del diritto a piangerlo. La prossima battaglia sarebbe stata per la spartizione dell'eredità.

Dopo lunghe esitazioni, decisi di fare una telefonata a mia madre. Di una cosa ero certa: il suo dolore per la perdita dell'uomo con cui aveva condiviso ventun anni di vita. Ne ebbi la conferma quando venne a rispondermi. La sua voce era incrinata dal pianto.

«Mi dispiace, mamma. Davvero. Immagino quello che...»

«Nessuno può immaginare come sto male! Michele viveva per me, è morto chiamando me... Senza di lui che cosa faccio? Che cosa mi resta?»

Una figlia, avrei potuto risponderle se tre anni di silenzio non avessero definitivamente spezzato il nostro rapporto. «Lo so, mamma. Tutti lo sanno quanto Michele ti amava.»

«Non Benedicta! Ha montato anche suo fratello contro di me... L'ho cresciuta come una figlia, e si è comportata come una serpe. Ma lo hai letto il loro annuncio? Mi hanno esclusa come se fossi un'amante, una estranea! Mi sono dovuta precipitare a farne uno a parte!» urlò.

Sentii un nodo amaro in fondo alla gola. «Mi dispiace...»

«Smettila di dire che ti dispiace! È anche colpa tua se Benedicta si è allontanata da me! La tua tresca con suo marito, le vostre denunce, la tua invidia alla fine sono ricadute su di me, colpevole di essere tua madre.»

Non più, pensai alla fine di quella telefonata. Ormai si era scavato l'abisso e mi ero liberata anche dalla tristezza di non stimarla, dal disagio di non amarla, dal dubbio che se le fossi somigliata o piaciuta lei sarebbe stata più amabile e il nostro rapporto migliore.

Sbagliavo. Prima che una cattiva madre, lei era stata

una persona umanamente inesistente. La maternità non aveva potuto modificare questa realtà, e anche se fossi diventata la migliore delle figlie non sarei riuscita a trasmetterle sentimenti e valori che non possedeva.

Per mia fortuna ad allevarmi era stata Iris, una donna che aveva scelto il ruolo di madre di famiglia amorosa e saggia e, sommessamente, aveva recitato molto meglio di lei. Quando aveva buttato il copione, io ero ormai uscita incolume dalla "bella famiglia".

Dopo settimane di contatti, trattative e incontri, l'agenzia di Tommaso fu incaricata di curare il lancio televisivo di una nuova linea di cosmetici naturali. Il presidente ne affidò a Tommaso il coordinamento, lasciandogli carta bianca per la scelta dei collaboratori. All'atto pratico, avrebbe dovuto seguire la campagna dall'ideazione all'esecuzione rispondendo di tutta la sua squadra.

Le prime riunioni avvennero a casa nostra tra lui e Marco Zarra, il collega che ci aveva invitati a pranzo e col quale aveva stabilito in breve tempo un ottimo rapporto. Tommaso lo volle con sé perché si era fatto una lunga esperienza nel settore dei cosmetici e proveniva da una società specializzata in cortometraggi pubblicitari. Non soltanto conosceva tempi, costi, location, agenzie di fotomodelle, ma era anche un formidabile ideativo.

Marco arrivava ogni sera con Tommaso e, dopo cena, andavano a sedersi sul grande terrazzo per gettare le basi della campagna. Fu casualmente, mentre discutevano sui nomi dei collaboratori da scegliere, che udii Tommaso fare una strana affermazione su Monica: «Per fortuna è stata lei stessa a chiedere di restare fuori. La situazione è sempre più imbarazzante, soprattutto per me che sono a stretto contatto con Sanvitale».

Sanvitale era il cognato del presidente nonché il comproprietario dell'agenzia. Lo avevo visto un paio di volte: era un uomo sulla cinquantina, di poche parole, coi capelli candidi e il viso severo. Vedovo da tre anni, viveva con due figlie ormai adulte.

Che cosa era successo? Tommaso giudicava Monica una assistente scrupolosa, efficiente, sgobbona: perché d'un tratto definiva "una fortuna" non avere il suo aiuto in una campagna importante e gravosa come quella che gli era stata affidata?

«È una cosa molto delicata» rispose evasivamente quando glielo chiesi.

«Se riguarda anche te, vorrei saperla. Perché ti trovi in una situazione imbarazzante? Ho sentito per caso il tuo discorso con Marco, ma a questo punto non posso fare finta di niente.»

Rifletté qualche istante. «Monica ha una relazione con Sanvitale» disse infine con riluttanza.

«Sanvitale?» Rimasi a bocca aperta.

Il mio sbalordimento lo innervosì. «Sì, lui. Non il presidente degli Stati Uniti.»

«Rispetto a Ferrario, la ragazza ha fatto comunque un bel salto di qualità.»

«Non sei spiritosa, Irene.»

«Mi sono adeguata al tuo humour. Sono stupita soltanto perché Sanvitale mi sembrava un uomo refrattario a ogni corteggiamento.»

«Aveva perso la testa per Monica.»

«*Aveva?* La relazione è già finita?»

«No, ma pare che la sorella e le figlie l'abbiano reso molto più cauto. È sempre innamorato di Monica, ma adesso in agenzia evita di farsi vedere con lei e le ha detto che non se la sente di impegnarsi con un rapporto stabile. Niente matrimonio, niente casa, niente convivenza: ha fatto dietrofront su tutta la linea.»

«A Monica non resta che ridimensionarsi: non è la sola donna a cui succede.»

«Alludi a te?» Tommaso chiese polemicamente.

«Dovrei? Io sono una donna eccezionalmente appagata, fortunata e felice!»

«Sicuramente più di Monica. Quando ha detto a Sanvitale...» Si interruppe di colpo. «Non so nemmeno perché abbiamo cominciato questo discorso. Tu sei sempre stata prevenuta nei suoi confronti e a quanto pare la solidarietà femminile ti è sconosciuta.»

«A quanto pare Monica ha la tua.» Prima che aprisse bocca, gli girai le spalle e andai a letto. Monica apparteneva a quella specie di donne che ignoravano le altre donne: la sola solidarietà che cercavano era quella degli uomini.

Mi diedi dell'idiota per non essere riuscita a nascondere l'antipatia per lei: con le mie battute e la mia acidità avevo fatto il suo gioco, aiutandola a configurarsi un'incompresa e una vittima.

Qualche giorno dopo, simulando un interesse che ero ben lungi dal provare, chiesi a Tommaso sue notizie.

«Si è dimessa dall'agenzia» rispose asciutto.

Non gli chiesi né i particolari né i motivi di quelle dimissioni per la paura di lasciarmi sfuggire qualche commento sinceramente ostile.

Fu Amalia, la moglie del presidente, a raccontarmi tutto.

Una sera ci invitò a cena e, mentre Tommaso e suo marito parlavano di lavoro, io e lei andammo a sederci in soggiorno. Parlammo del tempo (si preannunciava un'estate caldissima), della campagna per il lancio dei cosmetici (alla quale avremmo dovuto sacrificare le vacanze estive), di Marco Zarra (un acquisto prezioso per l'agenzia), di sua moglie (una donna deliziosa).

«Tommaso ti ha raccontato quello che è successo con Monica?» mi chiese a un tratto dandomi del tu.

Sanvitale era suo fratello, e d'istinto mi tenni sul vago. «So che aveva dei problemi e si è dimessa...»

«I problemi li ha avuti mio fratello Giulio! Prima di conoscerla, io credevo che donne tanto sfrontate e ciniche esistessero soltanto nelle telenovela o nelle paranoie delle mogli gelose. Sbagliavo. Monica prima ha puntato su mio marito, e quando ha capito che le sue manovre cadevano nel vuoto si è buttata su mio fratello.»

«Tommaso mi aveva detto qualcosa» ammisi onestamente.

«Come abbia fatto a irretirlo non lo so, posso solo immaginarlo. Il suo primo sbaglio è stato l'eccesso di fretta: non appena Giulio ha accennato al matrimonio, lei ha cominciato a comportarsi da moglie e si è messa persino a cercare una casa. Il secondo sbaglio è stato sottovalutare l'intelligenza di mio fratello: era già molto perplesso quando io e le mie nipoti gli abbiamo aperto gli occhi, ma Monica, invece di tranquillizzarlo, lo ha accusato di essere succubo di due figlie che volevano soltanto sfruttarlo e garantirsi tutta la sua eredità. L'ubriacatura è finita di colpo e anche la relazione.»

«Monica ha avuto almeno la decenza di dimettersi» osservai.

«Di quali *dimissioni* parli?» Amalia chiese stupita. «È stato mio fratello a pregarla di lasciare l'agenzia, ovviamente con una sontuosa liquidazione.»

Tommaso ignorava questo particolare oppure mi aveva mentito? E perché? «L'importante è che se ne sia andata» dissi con convinzione.

«Sì, ma dopo aver fatto vivere a mio fratello dei giorni d'incubo. Prima di lasciare l'agenzia gli ha platealmente annunciato di essere incinta: ma non si preoccupasse, avrebbe cresciuto da sola il loro figlio senza chiedergli niente! Mio fratello, che non è né un irresponsabile né un imbecille, dopo aver riflettuto a lungo ha fissato un appuntamento con un amico ginecologo e si è presentato a casa di Monica: se era veramente incinta, lui non si sarebbe sottratto ai propri doveri. Messa con le spalle al muro, Monica ha dovuto dirgli che si era sbagliata: no, non era incinta, si era trattato soltanto di un ritardo. Speravo tanto che col tempo Giulio trovasse una seconda moglie con cui invecchiare: quello che non perdono a Monica è di averlo reso ancora più diffidente e chiuso» concluse con amarezza.

«Sarebbe stato peggio se l'avesse sposata.»

«Questo è vero!»

Ero certa che Tommaso ignorasse il vergognoso tentativo di Monica per tenere legato il comproprietario dell'agenzia. Fui fortemente tentata di dirglielo. Non sopportava l'insincerità e i raggiri, e provargli che "la povera ragazza" ne era una maestra gli avrebbe fatto capire soprattutto che io non ero stata insensibile e prevenuta come mi aveva accusato.

Ma alla fine decisi di tacere. Monica era finalmente uscita di scena, e il sollievo era tale che questa piccola soddisfazione mi sembrò al confronto poca cosa. Adesso potevo ammetterlo: sapere che lavorava al fianco di Tommaso aveva contribuito a rendermi insicura e inquieta. Mi sembrava *impossibile* che prima o poi non desiderasse sedurre anche lui: il suo capo, un uomo affascinante e di talento. Lo scampato pericolo mi restituì sicurezza e pace.

Tommaso trascorse tutta l'estate lavorando. Non aveva più orari, serate libere, giorni di festa e anche nei rari momenti che trascorrevamo insieme era deconcentrato, silenzioso. Ma non me ne lamentai, non gli dissi mai una sola parola di rimostranza. Sapere che Monica non era più la sua assistente, e non condivideva più con lui tutto il tempo che passava fuori casa, mi rendeva estremamente facile essere tollerante e comprensiva.

Però ero molto annoiata. Quando il Poliambulatorio chiuse per ferie, andai nel reparto elettrodomestici di un grande magazzino a comperare un decoder e chiamai un tecnico per fare l'allacciamento con la parabolica del palazzo: visto che le mie serate solitarie si erano ridotte a una grande abbuffata di televisione, tanto valeva cercare una alternativa alle repliche, ai vecchi film e ai varietà festaioli dell'estate.

Il satellite mi aprì le porte del mondo: seduta in poltrona, guardavo la tv araba, le dirette con i mercati finanziari giapponesi, i telegiornali turchi, i telequiz rumeni. Non capivo niente, ma la vastità dei nuovi orizzonti ridimensionò i miei piccoli problemi al punto da autoconvincermi che non esistevano.

E nacque la piccola Irene: Simona volle a tutti i costi dare il mio nome alla prima figlia e ridemmo insieme ricordando i tempi in cui soffrivo per non chiamarmi Jessica o Samantha.

«Il tuo nome mi piace perché lo associo a te» spiegò seriamente. «E spero che crescendo mia figlia diventi come te: ti proibisco ogni commento denigratorio sulla tua persona!»

«Spero che le due nonne non si siano offese perché non le hai dato i loro nomi» mi limitai a osservare.

«Foschina o Gaetana? Quando ci si chiama così, non si possono avanzare pretese.»

Simona rimase quattro giorni al Fatebenefratelli, dove aveva partorito. Fu dopo la mia ultima visita, mentre aspettavo l'ascensore, che incontrai l'assistente sociale Antonia Pozzi. Il suo abbraccio affettuoso e la gioia che mostrò nel rivedermi scacciarono sul nascere i brutti ricordi del passato. Quando seppe che ero venuta con un taxi, volle a tutti i costi darmi un passaggio fino a casa.

Strada facendo, mi raccontò che da tre mesi lavorava anche in un nuovo Centro di accoglienza per quei bambini che le madri e talvolta entrambi i genitori avevano riconosciuto, ma rifiutavano di dare in adozione nonostante per indigenza, età giovanissima e altri motivi fossero nell'impossibilità di prendersi cura di loro.

«Il Centro, per il momento finanziato soltanto da privati e portato avanti grazie all'aiuto di volontari come me, impedisce che il Tribunale minorile identifichi in questa impossibilità un abbandono di fatto e dichiari d'ufficio lo stato di adottabilità» mi spiegò Antonia. «Il mio compito è appurare se le ragazze madri o le coppie desiderano realmente ricongiungersi ai loro bambini e si danno concretamente da fare per potervi riuscire. Il Centro interviene soltanto in questo caso, e per un periodo limitato.»

«Dove vivono questi piccoli?»

«In un asilo nido privato che ha chiuso un paio d'anni fa e abbiamo preso in affitto. Lo spazio è poco, e serve soprattutto per la notte. Molti bambini trascorrono la giornata a casa di altre volontarie che non hanno impegni di lavoro, madri di famiglia esperte e affidabili.»

Antonia proseguì parlandomi con comprensibile soddisfazione di come erano riusciti a organizzarsi: potevano contare sulla reperibilità di un pediatra e su un gruppo di bravi ragazzi che alla sera, invece di andare in pizzeria o in discoteca, andavano al Centro per trascorrere la notte con i bambini.

«Se serve, posso darvi una mano anch'io!» dissi di slancio. E per dimostrarle che ero davvero disponibile, le lasciai i numeri di casa, del Poliambulatorio e del cellulare.

Quando parlai a Tommaso dell'incontro con Antonia Pozzi e della sua iniziativa, lo vidi irrigidirsi. «Non metterti delle idee pazze in testa» disse brusco.

Strinsi gli occhi a fessura. «Per esempio?» Avevo capito dove voleva arrivare.

«Portare in questa casa un bambino e sperare che alla fine ce lo diano in adozione.»

«I bambini di quel Centro non sono adottabili, e in ogni caso non darebbero *nessun* bambino a una coppia di amanti» replicai gelida.

«Bene, adesso sono tranquillo.»

Antonia telefonò un sabato, dieci giorni dopo il nostro incontro. «Se non hai altri impegni, domani avremmo bisogno di te.»

Tommaso mi aveva preannunciato la solita domenica di riunioni. «Sono libera. A che ora devo venire?»

Quello fu l'inizio del mio volontariato. Il mio ruolo all'interno del Centro era tenere vivi i contatti tra le ragazze madri più latitanti e i loro bambini, esortandole a visitarli almeno una volta al mese. Se non lo avessero fatto, si sarebbe profilato lo stato di abbandono e quello conseguente di adottabilità.

Le chiamavo per telefono, ascoltavo le loro ragioni e riferivo ad Antonia. In alcuni casi, andavo a casa loro per incontrarle di persona, offrendomi di accompagnarle al Centro con la mia macchina. Non parlai più a Tommaso di questa mia attività, né lui si accorse di nulla: telefonate e visite avvenivano nelle ore e nei giorni in cui era in agenzia o in viaggio.

Si trovava a Roma per lavoro quando la piccola Irene fu battezzata, e sospettai che avesse fatto intenzionalmente coincidere quel viaggio con la data della cerimonia. Mi aveva accompagnato una sola volta a trovare la bambina di Simona, e mi ero resa conto quanta sofferenza gli fosse costata. Mentre io, attraverso Sara, avevo imparato ad amare tutti i bambini, lui, dopo la sua perdita, non sopportava neppure di vederli. Me lo aveva confessato e più che mai capivo quanto fosse vero.

Anche per questo evitai di parlargli del molto tempo che dedicavo al Centro. Né gli riferii del doloroso episodio che vissi come una mia personale sconfitta: un bambino di tre anni, figlio di una ragazza che in una crisi di depressione si era tolta la vita, era stato affidato dai nonni materni a una anziana parente, del tutto incapace di accudirlo.

Erano stati i vicini di casa a segnalare ai carabinieri il penoso stato di incuria e abbandono in cui il piccolo Davide viveva. Piangeva continuamente e c'era chi aveva visto la parente picchiarlo. Antonia, dopo aver tentato invano di convincere i nonni a intervenire, aveva provvisoriamente portato il bambino al Centro di accoglienza, segnalando a sua volta al Tribunale minorile il problema di Davide.

Il suo destino era crescere in un istituto, essendo assai improbabile trovare una coppia disposta a farsi carico di un piccolo che a tre anni mostrava fisicamente e psicologicamente tutti i segni di ciò che aveva subito.

Chiesi ad Antonia di poter compiere un ultimo tentativo con i nonni: passai un pomeriggio cercando di riscuoterli, di accendere almeno la scintilla della compassione. Mi trovai di fronte a un muro: la nonna si era addirittura premunita da ogni pressione con una cartella clinica da cui risultava affetta da tutte le debilitazioni e i malanni possibili. Non era *assolutamente* in grado di tenere il nipotino.

«Capisco perché la loro figlia si è ammazzata» dissi indignata ad Antonia dopo averle parlato di quell'incontro.

Purtroppo Davide non poteva rimanere in un Centro che non era giuridicamente né logisticamente idoneo per sostituirsi a un istituto. E toccò proprio al giudice minorile Roberto Verdi firmare la richiesta di ricovero.

Antonia dovette arrendersi, avvilita e impotente

quanto me. Era la legge: e a renderla tanto dura erano proprio l'egoismo, il cinismo e la crudeltà di persone come i nonni del povero bambino, come mia madre, come Benedicta. Sara e Davide erano stati vittime loro, e non della legge.

XIII

Maria, la cameriera polacca che avevamo ceduto alla madre di Tommaso, telefonò una sera alle dieci chiedendo se potevamo andare subito lì. Dalla sua affannata e breve spiegazione («*la signora non vuole che io telefono a voi e al dottore*») capii che Carla si era sentita male appena era uscita dalla vasca da bagno e che dopo tre ore non riusciva a alzarsi dal letto.

«Chiamo subito un taxi» la tranquillizzai. «Tu resta vicino a lei e aspettami.»

Tommaso era a una cena di lavoro col presidente. Prima di uscire lo chiamai sul cellulare per avvertirlo di quello che era successo e per pregarlo di raggiungermi appena possibile a casa di sua madre. Purtroppo il telefonino era spento. Non sapendo in quale ristorante stesse cenando, chiamai Amalia sperando che il marito glielo avesse detto.

Dopo essermi scusata per averla disturbata a quell'ora, le spiegai del malore della madre di Tommaso e della mia urgenza di parlargli.

Amalia si mostrò, come al solito, estremamente gentile. «Ma quale disturbo? Dimmi piuttosto che cosa posso fare per te!»

«Soltanto dirmi dove posso rintracciarlo, se lo sai. Detesto i telefonini, ma ancora di più chi li tiene sempre spenti!»

«Hai provato in agenzia? Ieri sera alle dieci mio marito era ancora lì!»

«Anche Tommaso! Ma stasera aveva una cena di lavoro e non mi ha detto in quale ristorante.»

«Forse lo sa Francesco. Adesso vado a chiederglielo.»

«Ma... tuo marito non è con lui?»

«No, è a casa... Resta in linea un attimo» aggiunse, senza darmi il tempo di dire nulla.

Tommaso mi aveva chiamato alle nove *dal ristorante*. Poche parole in fretta per dirmi che sarebbe rientrato tardi e che il presidente, *seduto davanti a lui*, mi salutava.

Amalia tornò all'apparecchio poco dopo e avvertii chiaramente l'imbarazzo nella sua voce. «Francesco era stanco e all'ultimo momento ha rinunciato alla cena affidando il cliente a Tommaso. Purtroppo non sa il nome del ristorante... È la segretaria a fare tutto...»

«Non preoccuparti, grazie lo stesso.» Riattaccai col viso in fiamme. Più che la bugia, mi offendeva la squallida banalità del pretesto: *cena di lavoro*, la breve fuga dei mariti prigionieri, quattro ore d'aria e d'avventura per sopravvivere a una moglie asfissiante.

Ma io non ero sua moglie e non avevo neppure sospettato che la nostra convivenza fosse giunta a uno stato di asfissia. Tommaso era teso e deconcentrato, ma davo per scontato che fosse per il lavoro. Sentivo le telefonate che faceva, sapevo che l'ultima campagna si era trasformata in una serie interminabile di incontri e scontri con l'azienda che aveva già contestato tre progetti. Il mio sbaglio era stato credere che i problemi di lavoro non potessero coesistere con quelli di coppia.

Non essere paranoica. Forse è davvero a cena con un cliente. Ma allora perché dirmi che il presidente era seduto davanti a lui e mi salutava? Mi considerava una donna così sospettosa da dovermi mentire per farmi credere la verità?

Ci sarà una spiegazione: prova a chiedergliela. Lo avrei fatto, eccome. Chiamai un taxi e prima di uscire gli lasciai un bigliettino bene in vista davanti al telefono. Due righe, per dirgli che sua madre era stata poco bene e mi trovavo da lei.

Carla era ancora a letto, sudata e debolissima. Sorda alle sue proteste chiamai la guardia medica. Mezz'ora dopo arrivò un ragazzone con i capelli raccolti a coda di cavallo, in jeans e scarpe da tennis. Nonostante l'aspetto da rockstar si rivelò un medico molto scrupoloso. Alla fine di una lunga visita mi tranquillizzò: il malore era stato causato da un improvviso calo di pressione, probabilmente aggravato da un bagno troppo caldo. Fece a Carla una iniezione e le lasciò due pastiglie da prendere all'indomani, suggerendole di farsi eventualmente visitare dal medico di base.

Tommaso arrivò dopo mezzanotte, quando sua madre ormai si era addormentata e io stavo chiamando un taxi per tornare a casa.

«Il tuo biglietto mi ha fatto morire di spavento» disse quando fummo nella sua macchina. «Appena il medico se n'è andato, avresti potuto farmi una telefonata.»

«Avevi il cellulare spento. E non sapevo in quale ristorante eri a cena col tuo presidente» aggiunsi intenzionalmente, sogguardandolo.

«Scusa, avevo dimenticato di dirtelo» disse in fretta.

«Non hai dimenticato altro, Tommaso?»

«No, che cosa dovrei avere...»

«È andata bene la vostra cena?»

«Al solito.»

«Il presidente come sta?» Gli stavo offrendo tutti gli appigli per riparare a una piccola bugia o per aggrapparsi a un'altra bugia meno offensiva per l'intelligenza di entrambi.

«Bene, naturalmente.»

«Dopo la cena l'hai accompagnato a casa?»

Si girò brevemente verso di me. «Che domande mi stai facendo? È tornato a casa con la sua macchina.»

A quel punto, con sovrumano controllo, mi vietai di buttargli in faccia la verità. Troppo facile: dovevo umiliarlo fino in fondo.

«Anche io mi sono spaventata a morte quando Maria mi ha avvertito che tua madre si era sentita male» dissi con voce naturale.

Si girò di nuovo a guardarmi. «Mi dispiace.» Il sollievo che scorsi nel suo sguardo accrebbe la mia furia: l'interrogatorio sembrava finito e si riteneva in salvo.

«Non sapendo come raggiungerti, ho telefonato ad Amalia per sapere in quale ristorante eravate.»

Lo vidi irrigidirsi. «E allora?»

«Non lo sapeva. E non lo sapeva neppure il marito, che era a casa con lei.»

«All'ultimo momento non ha potuto venire» disse senza un attimo di esitazione. Era chiaro che aveva sospettato fin dal primo momento dove volevo arrivare, e si era preparato la spiegazione più ovvia.

«*Il presidente è seduto davanti a me e ti saluta*» gli rifeci sarcasticamente il verso. «Chi era? Un ectoplasma? Un sosia?» Senza volerlo alzai la voce.

«Detesto le scenate.»

«E io detesto le bugie inutili! Ti ho mai chiesto dove andavi? Ti ho mai controllato, spiato, frugato nelle tasche? Bastava che mi dicessi "stasera ho un impegno", senza bisogno di tirare in ballo il presidente e i clienti!»

«Stasera ho avuto un impegno. Va bene così? Vuoi anche i particolari?»

«Risparmiateli pure, per stasera hai già dato prova della tua fantasia.»

Ero in bagno a cercare la solita scatola delle aspirine quando vidi riflesso nello specchio il viso esitante e mogio di Tommaso.

Mi girai. «L'altro bagno è libero.»

«Irene, non voglio nasconderti nulla. Stasera sono an-

dato a cena con Monica e non te l'ho detto soltanto perché...»

«Credevo che non lavorasse più con te.»

Sospirò. «Non è stata una cena di lavoro, infatti. Monica è senza posto e sta attraversando un periodo molto
difficile.»

Perché non ha ancora trovato un nuovo amante, pensai con ferocia. «Ecco le aspirine» dissi aprendo la scatola. Inghiottii due compresse con il mio livore. «Spero che
si riprenda presto.»

La mia inaspettata assenza di commenti malevoli lo
spinse a osare. «È una brava ragazza, devi credermi.»

*È una puttana. Digli quello che hai saputo da Amalia,
aprigli gli occhi.* Non abboccai. Il rientro in scena di Monica non mi smosse da un comportamento che mi ero
imposta dopo aver amaramente e definitivamente imparato la lezione: demolisci una vittima e ne farai un marti-
re; irridi alla solidarietà di un amico e te ne farai un nemico.

Riposi la scatola nell'armadietto. «Forse hai ragione
tu. Non conosco abbastanza Monica per stabilire che persona è» dissi dolcemente.

«Non voglio certo beatificarla!» Tommaso proruppe
sempre più rinfrancato. «Ma nella storia con Sanvitale si è
comportata con una dignità encomiabile. Lo sai che cosa
è successo?»

«No, dimmi.» Spasimavo dal desiderio di capire che
cosa Monica si fosse inventata.

«Aspettava un bambino e Sanvitale l'ha costretta a
abortire.»

«Ti ha detto questo? È orribile!» gridai. Mi riferivo
alla infame manipolazione dei fatti, ma Tommaso era talmente lontano dalla verità che non se ne accorse.

«Hai detto bene. La violenza che ha subito è orribile.
Ti giuro che avrei voluto andare a spaccare la faccia a

quell'uomo, ma Monica si è preoccupata per me e mi ha supplicato di starne fuori.»

«Hai sbagliato, sai? Forse saresti ancora in tempo per chiarire la situazione. Potresti aiutare Monica a riabilitarsi e in ogni caso ti sentiresti meglio con te stesso» insinuai con voce di miele.

«Monica è stata categorica: con il mio intervento creerei soltanto dei problemi a lei e a me stesso.»

Sempre più brava! Impedendo a Tommaso di parlare con Sanvitale poteva continuare a fargli credere quello che voleva e allo stesso tempo dimostrargli quanto era altruista e generosa.

«E allora che cosa intendi fare per lei, oltre a starle vicino?»

«Dovrei aiutarla a trovare un altro lavoro e lo farò senz'altro. Ma in questo momento sono troppo occupato, e posso soltanto farle qualche telefonata o invitarla a cena come stasera. Magari con te. Sono contento che la mia piccola bugia ci abbia permesso di affrontare questo discorso, Irene. Non sono abituato ai sotterfugi, e doverti nascondere la mia amicizia per Monica mi creava un enorme disagio. D'altra parte, non potevo immaginare che tu ti mostrassi tanto comprensiva nei suoi confronti.»

E così, anche io come Monica ero riuscita a fargli credere quello che mi faceva comodo. Era incredibile quanto fosse facile raggirare gli uomini, anche quelli intelligenti e disincantati come Tommaso.

A novembre, finalmente varata la campagna per il lancio della nuova linea di cosmetici, Tommaso riprese a lavorare con gli orari normali. Avevamo di nuovo del tempo per noi, e riprendemmo a uscire, a trascorrere qualche fine settimana fuori Milano. Di tanto in tanto telefonava a

Monica, e il fatto che lo facesse a casa, davanti a me, mi tranquillizzava solo in parte.

Ma un sabato mattina mi disse, con il tono ostentatamente incurante di quando si sentiva in imbarazzo, che quella sera non avrebbe potuto venire alle festa di compleanno di Simona perché aveva un impegno con Monica.

«Quale impegno?» scattai.

«Devo accompagnarla a Lecco, a casa di un mio vecchio amico che un tempo dipingeva e adesso fa il mercante d'arte. In un certo senso abbiamo avuto due percorsi paralleli...»

La stava prendendo troppo alla larga. «E allora?»

«Ha aperto una nuova galleria d'arte e ha bisogno di una direttrice» strinse con una espressione quasi offesa. «Gli ho parlato di Monica e stasera mi ha invitato a cena con lei per poterla conoscere.»

«Non potevi rimandare a sabato prossimo? Oppure anticipare l'incontro al primo pomeriggio?»

«Evidentemente no! È da dieci giorni che sto sollecitando questo incontro e, se permetti, il posto di lavoro di Monica mi sembra più importante di una festa di compleanno.»

«Suppongo che tornerai molto tardi.»

«Probabilmente dopo di te. Comunque tieni il cellulare aperto e ti farò sapere quando ripartirò da Lecco.»

Presi una scusa per uscire: in quel momento non sopportavo neppure di vederlo. Salii in macchina e misi in moto senza sapere dove andare. Al supermercato? Dal parrucchiere? A comperare un vestito? Al Poliambulatorio a riordinare le cartelle?

Al Centro di Antonia: mi vergognai per non averci pensato subito. Da quando Tommaso era tornato ai ritmi normali il mio aiuto si era ridotto a qualche sporadico intervento. Perché non avevo mai parlato con Tommaso della mia attività di volontariato? Mi riproposi di farlo. Se il posto di lavoro di Monica era più importante di una festa di compleanno, anche l'aiuto che potevo dare al Centro era più importante dell'invito di un collega e di un fine settimana fuori città.

Mi vergognai di nuovo: era questo lo spirito del mio aiuto? Essere più disponibile per ripicca, per dispetto? *Stai diventando meschina.* Centrato! Sono diventata insicura, scontenta, aggressiva, sgradevole. Da anni mi sono rinchiusa in un piccolo mondo aspettando soltanto piccole gratificazioni: una telefonata, un gesto gentile, un "ti amo" detto come "passami il sale". Le speranze erano, se possibile, ancora più patetiche: speriamo che arrivi l'idraulico, speriamo che Tommaso si sia ricordato di passare dalla tintoria, speriamo che lo sformato mi sia venuto bene, speriamo che…

Basta, mi imposi ricacciando le lacrime. Accesi la radio. *I diamanti sono i migliori amici delle ragazze* stava cantando Marilyn. La spensi subito e mi concentrai nella guida.

Quando arrivai al Centro, Antonia mi accolse con un sorriso festoso e subito mi diede la notizia: il giudice Verdi aveva trovato una coppia di quarantenni disposta a prendere Davide nonostante il periodo trascorso in istituto lo avesse reso un bambino ancor più problematico.

«Devo incontrarli a mezzogiorno per la seconda volta. Mi sono sembrate due persone *eccezionalmente* coraggiose, entusiaste, aperte» disse, sottolineando quell'"eccezionalmente" con una espressione perplessa.

«Dov'è il problema, Antonia?»

«Crescere un bambino come Davide richiede una dedizione e una disponibilità totali, molto meno esaltanti di qualche mese di volontariato in un lebbrosario, o di un viaggio avventura per portare viveri e medicinali a qualche popolazione in guerra… Ma il giudice ha ragione: Davide non può restare in istituto e i nostri eroi sono la miglior coppia possibile dal momento che non ne abbiamo trovate altre di idonee.»

«Vale a dire regolarmente sposate, senza alcun problema, moralmente ineccepibili» commentai amara.

Antonia mi trapassò con un'occhiata severa. «Idonee vuole dire prima di tutto disponibili. Se tu fossi sposata con Tommaso, lo prenderesti un bambino come lui?»

«Scusami…»

«Non lo vorresti: perché hai sofferto troppo per Sara, perché Tommaso ti lascerebbe, perché non avresti mai il coraggio di rivoluzionare la tua vita e rimettere in gioco tutti i tuoi equilibri per votarti al recupero di un bambino caratteriale.»

«È vero. Scusami» ripetei.

«Non è un rimprovero: volevo soltanto farti riflettere. Io stessa, alla tua età, non avrei mai avuto questo coraggio.»

Io sì: ma prima che anche il mio cuore diventasse piccolo. Non potevo incolpare Tommaso di questo: lui era stato onesto con me e con se stesso parlandomi fin dall'inizio dei limiti che il nostro rapporto avrebbe avuto. Per accettarli avevo dovuto diventare una persona diversa da quella che ero. Questa persona non mi piaceva, e sospettavo che non piacesse nemmeno a lui.

Rimasi al Centro fino alle quattro del pomeriggio, poi decisi di andare dal parrucchiere: da sei mesi mi lavavo i capelli in casa, e avevano bisogno di un buon taglio. Inoltre, conoscendo Simona, sapevo di farle piacere presentandomi alla sua festa pettinata e vestita con cura.

Non avendo preso un appuntamento, e non essendo una cliente abituale, dovetti insistere per non essere mandata via. Alla fine il Maestro Coiffeur "trovò un buco", ma per la sola messa in piega. Mi affidò a una giovane lavorante che provò sulla mia testa il suo senso artistico e tutto ciò che aveva imparato al corso per parrucchieri: alla fine, coi miei riccioloni sparsi, sembravo una via di mezzo tra la Medusa e la bambola Barbie.

Mentre mi complimentavo con lei, mi riproposi di demolire il capolavoro a colpi di spazzola. Arrivai a casa pochi minuti prima delle sette. Tommaso era già uscito e mi aveva lasciato un perentorio biglietto a tutte maiuscole sulla porta: *TIENI IL CELLULARE APERTO!*

Ebbi appena il tempo di fare una doccia, truccarmi e scegliere un vestito da mettere. Optai per un tubino grigio azzurro col corpetto illuminato da un ramage di perline: un Armani di saldo, ma sempre Armani.

Nonostante le mie proteste, Simona aveva insistito per mandare un amico di suo marito a prendermi. «Il ristorante è in un dedalo di sensi unici o vietati, e da sola non ci arriveresti mai!»

Il citofono suonò alle otto in punto. Dandomi un'ultima occhiata allo specchio dovetti ammettere che non avevo proprio l'aspetto dell'amante frustrata e, forse, anche tradita.

XIV

Aprii gli occhi e subito li chiusi, accecata dalle lame di luce che entravano dalle persiane. Una mano mi sollevò delicatamente la testa. «Bevi, ti farà bene.»

Amleto. Nell'udire la sua voce, mi drizzai bruscamente sul letto e accesi l'abat-jour. Era lui e mi stava sorridendo. Con l'altra mano teneva un bicchiere e me lo porse: «Acqua calda e bicarbonato: è un dopo sbronza formidabile».

«Stanotte non ero ubriaca.»

«È una affermazione gentile nei miei confronti oppure una aggravante per i tuoi sensi di colpa?» Amleto chiese con voce scherzosa. Ma il suo sguardo si era fatto serio.

«Non mi sento in colpa.» All'una di notte ero lucidamente, volontariamente entrata in un albergo con un uomo che conoscevo da sei ore, eppure questa era la sbalorditiva verità: a parte un cerchio alla testa, stavo benissimo. «Non mi sento *affatto* in colpa» ripetei con forza dopo aver bevuto il disgustoso intruglio.

Amleto sarebbe ripartito quel giorno stesso per Roma e probabilmente non ci saremmo rivisti più, ma grazie a lui per una notte avevo ritrovato la Irene perduta. Mi aveva dato tenerezza, piacere, gioia, sicurezza, passione, e non riuscivo a scorgere nulla di male in questo. Amleto mi aveva preso una mano mentre stavo precipitando in un abisso, e adesso mi sentivo in salvo perché sapevo che una parte di me era ancora viva.

155

Si sedette sul letto, accanto a me. «Sono le undici e fra due ore ho l'aereo.»

«Devo andare anch'io.» Dopo la telefonata che Tommaso mi aveva fatto al ristorante per dirmi che c'era troppa nebbia e si sarebbe fermato a dormire a Lecco, avevo spento il cellulare. Feci per alzarmi.

«Aspetta, Irene. Potrei innamorarmi di te, e forse anche tu di me, ma purtroppo ci siamo incontrati nel momento sbagliato. Abbiamo una vita troppo incasinata per rincorrerci e crearci altri problemi. Questo vale soprattutto per me: tu sei legata a un altro uomo, più di quanto creda, e io non posso rischiare di ritrovarmi dentro fino al collo in un altro rapporto senza futuro.»

«Dov'eri, quattro anni fa?»

«Con la mia aspirante Callas, fremente d'amore e d'orgoglio per i suoi primi successi.»

«Non ti dimenticherò mai, Amleto.»

«Nemmeno io. Ti voglio bene, ragazza.»

Alle undici e mezzo fece chiamare un taxi per l'aeroporto e prima di lasciarmi, mi strinse in un lungo abbraccio. Io rimasi ancora in albergo. Non avevo alcuna fretta di tornare a casa e mi rimisi a letto rievocando, minuto per minuto, tutto quello che era accaduto in quelle ultime ore. No, non lo avrei dimenticato più.

L'amico mandato da Simona mi aspettava sotto al portone, con la portiera della macchina aperta. «Ciao, sono Amleto» disse tendendomi la mano. Più che il nome, decisamente inconsueto, mi colpì il suo aspetto fisico: era *singolarmente* brutto, al punto da non poterlo nemmeno considerare tale. Non molto alto, con le spalle squadrate e il corpo tozzo, aveva una corta zazzera di riccioli rossi, il volto ricoperto da efelidi e due occhi piccolissimi e allegri.

Mi rivolse un sorriso largo come la fessura di un grande salvadanaio. «Finito l'esame?»

Curiosamente, non mi sentii affatto imbarazzata. «Sì, possiamo andare» risi dirigendomi verso la macchina.

Nei venti minuti che impiegammo per raggiungere il ristorante mi raccontò di avere madre irlandese e padre italiano. Aveva vissuto fino all'età di vent'anni a Milano, poi si era trasferito a Roma, dove ancora risiedeva. L'amicizia con Emanuele risaliva agli anni del liceo, e si erano sempre tenuti in contatto. Come lui si era laureato in medicina, specializzandosi però in pediatria.

L'amico di Emanuele aveva un'altra singolarità: pur parlando continuamente, non era affatto logorroico. Parlava per stabilire un contatto umano, intercalando con naturalezza il racconto di sé alle domande sull'altra persona.

Senza alcun disagio gli confessai di convivere da quasi quattro anni con un uomo refrattario al matrimonio e di aver ormai rinunciato ad avere dei figli.

Non fece alcun commento, quasi fosse una cosa del tutto normale. A sua volta mi confessò di aver avuto una sola storia importante con una ragazza che aveva una voce d'angelo ma una ambizione di ferro: la lirica li aveva divisi.

Quando lei si era rifatta viva rendendosi conto che non sarebbe mai diventata una nuova Callas, il loro rapporto era ricominciato: ma soltanto per darsi reciprocamente il tempo di lasciarsi senza sofferenza e senza possibilità di ripensamenti.

Il ristorante che Simona aveva scelto per la sua festa si trovava in una traversa di via Mascagni. La proprietaria le aveva riservato una saletta al primo piano.

«Siamo gli ultimi?» Amleto chiese dirigendosi verso Simona, già seduta a tavola.

«Proprio così. Persino mio cugino che è venuto da Bergamo con un nebbione fitto è arrivato prima di voi!»

Ebbi un pensiero fugace per Tommaso, che doveva tornare in macchina da Lecco, ma lo scacciai. Simona ci indicò due posti liberi, uno al suo tavolo e l'altro a quello accanto.

«Vuoi separarmi dalla tua affascinante amica?» protestò Amleto. «Non se ne parla neppure.» Con grande disinvoltura chiese al fratello frate di Emanuele se poteva compiere "l'opera buona" di cambiare tavolo, cosa che lui prontamente fece invitandomi a non lasciarmi ingannare dall'aspetto inoffensivo del suo amico.

Amleto si finse sbalordito: «Dopo quindici anni, non mi hai ancora perdonato di averti portato via una ragazza?».

«Tutt'altro! Proprio quel dolore mi fece scoprire la mia vera vocazione!» ribatté a tono, ridendo.

La padrona del ristorante si avvicinò a Simona e chiese se poteva cominciare a fare servire gli aperitivi. Arrivarono accompagnati da squisiti stuzzichini. Altrettanto squisiti furono i due tipi di risotto che seguirono, uno al limone e rosmarino e l'altro allo champagne.

Il servizio era impeccabile, la saletta intima, gli invitati affiatati. Ma di che cosa mi stupivo? Dal marito al ristorante, c'era qualcosa in cui Simona potesse sbagliare?

Sentii su di me lo sguardo di Amleto e gli sorrisi. «Simona è una di quelle rare persone che fanno d'istinto tutte le scelte giuste.»

«E tu no?»

Mi strinsi nelle spalle. «Credo d'appartenere a un'altra specie rara, ma…» Allungai la mano verso la bottiglia. «È un discorso troppo lungo.»

«E allora comincia subito» disse riempiendomi il bicchiere.

«Siccome non ho una natura vittimistica, mi rifiuto di pensare che sono sfortunata o ottusa… Che tutte le cose sbagliate succedono a me.» Feci una pausa per bere un sorso. «Credo, al contrario, di avere un buon istinto come Simona. La differenza sta nel risultato.» Vuotai il bicchiere.

«E cioè?» chiese interessato.

«Quando entro in un negozio, capisco subito qual è il vestito migliore. Quando devo fare un regalo, so qual è quello più gradito, quando invito qualcuno al ristorante, prenoto sempre quello giusto... Ma alla fine il vestito migliore addosso a me sembra un sacco, il regalo gradito si rivela un doppione perché qualcuno è arrivato prima di me e l'ottimo ristorante ci serve una cena schifosa perché lo chef si è ammalato... Mi succede lo stesso anche nelle scelte più importanti: non mi sono mai innamorata di un vizioso, di un fannullone o di un avventuriero perché il famoso istinto mi porta ad essere attratta soltanto dalle persone perbene. E infatti negli ultimi otto anni ho avuto due uomini giusti: ma il primo mi ha lasciato perché non se la sentiva di sposarmi, e sei mesi dopo ha sposato un'altra. E il secondo è Tommaso.» Allungai nuovamente la mano verso la bottiglia di vino.

«Non stai bevendo troppo?»

Riempii il bicchiere senza rispondergli e proseguii: «Viviamo insieme da quasi quattro anni, e ci amiamo ancora... Tantissimo... Ma è un amore che non ci sta portando a nulla. Solo a farci del male. Capisci che cosa voglio dire? Ho una sinistra magia: con me, tutto quello che è giusto si deteriora, si degrada...». Era il discorso più lungo che avessi fatto negli ultimi mesi.

«Non puoi paragonare un rapporto di coppia a un ristorante o a un vestito» Amleto osservò. «Se un uomo sposa un'altra oppure sta con te senza volerti sposare la "sinistra magia" non c'entra: hai semplicemente scelto delle brave persone inadatte a te.»

«E se fossi inadatta a tutti?»

«Ti lascio il mio numero di telefono: prima di arrivare a questa conclusione, rivolgiti a me!» rise.

Vidi Simona alzarsi e dirigersi verso di noi. «Tutto bene?» chiese posandomi una mano sulla spalla.

«Benissimo, grazie.»

«Dove hai messo il tuo cellulare?»

«Nella borsetta. Ma perché me lo…»

«Tiralo fuori. Mi ha appena chiamato Tommaso per dire che sta facendo il tuo numero da un quarto d'ora, ma il telefonino squilla a vuoto.»

«Sai che cosa voleva?»

«No. Mi ha detto soltanto che si trova in una zona dove il cellulare non funziona e che ti richiamerà lui.»

Erano le undici, e mi trovavo nella toilette con Simona per darmi una ritoccata al viso, quando Tommaso richiamò. Avevo posato il telefonino sul bordo del lavabo e risposi al primo squillo. Ero pronta ad ascoltare il solito rimbrotto («O tieni il cellulare spento oppure non rispondi!») e invece non fece alcun cenno ai precedenti tentativi per parlarmi.

«I festeggiamenti non sono ancora finiti?» mi chiese in tono gaio.

«Siamo ancora al ristorante. E tu sei partito?»

«No… Il mio amico ha legato subito con Monica e ha deciso di darle il posto di cui ti parlavo. Non è una bella notizia?»

«Sì, certo.» *Fuori il rospo.*

«Irene, mi senti?»

«Ti sento.»

«Quei due sono ancora in piena conversazione e fuori c'è un nebbione da tagliare col coltello. Ti dispiace se mi fermo a dormire a Lecco, a casa del mio amico? Domattina ripartirò presto e comunque arriverò in tempo per accompagnarti al mercatino dei Navigli.»

Adesso ti dice "mi manchi tanto, amore". Non gliene diedi il tempo. «Fai pure con comodo, domattina sarò stanca anch'io e credo che dormirò fino a tardi» risposi in fretta.

Disattivai il cellulare e lo rimisi nella borsetta. «Si ferma a dormire a Lecco» comunicai a Simona. «Vogliamo tornare dagli altri?»

«Aspetta un momento. Ho sentito quello che ti ha detto, e in effetti mettersi in viaggio con questa nebbia sarebbe…»

«Simona, non mi devi né consolare né rassicurare. Sono *sollevata* all'idea di tornare a casa senza dover simulare interesse e contentezza mentre Tommaso mi parla del colpo di fortuna della povera Monica. Per le donne come lei, il colpo di fortuna è trovare un uomo ricco. Da qualche tempo, in mancanza di meglio, sta mirando a Tommaso. Sono talmente stanca di essere gelosa e di avere paura che, se stanotte finissero a letto insieme, ne sarei sollevata. Sarebbe una certezza liberatoria. Saprei come reagire, che cosa fare, come difendermi. Scusami, Simona, non volevo guastare la tua cena! E ho la logorrea dell'ubriacona.»

«Non dire sciocchezze. La serata è ancora lunga, e poi non me l'hai guastata affatto.»

Tornai a sedere accanto ad Amleto. Tutte le persone che gli erano vicine stavano ridendo con lui. «Che cosa mi sono persa?» chiesi.

«Le barzellette hard della madre di Simona. Il marito l'ha trascinata fuori a prendere una boccata d'aria.»

«*Hard*? Se non avesse avuto una figlia, direi che non sa nemmeno come si fanno i bambini!»

«A detta di Emanuele, da quando frequenta una palestra per curare il mal di schiena, sua suocera si è molto emancipata.»

«La madre di Simona? Lo escludo!»

«Perché non hai sentito le sue barzellette. Il marito, molto imbarazzato, sosteneva che non capisce quello che dice, ma lei gli ha dimostrato il contrario! Metti insieme un gruppo di arzille sessantenni, e nemmeno immagini le confidenze e i discorsi che saltano fuori.»

«Io non sono mai piaciuta alla madre di Simona» confessai. «Forse perché…»

Fui interrotta proprio da lei. «Che cosa ti viene in mente?» strillò con voce strascicata, avvicinandosi a me. Mi diede una pacca sulla spalla. «Se non avessi avuto tutte quelle madri, io ti avrei adottata! Ma per fortuna non ti hanno guastata. Tu mi piaci fin da quando eri bambina… Un fiore nel deserto, ecco che cosa sembravi.»

Il marito la prese per una spalla. «Andiamo, da brava.»

«Vuoi farmi prendere una polmonite? Basta prendere aria.»

Il padre di Simona mi guardò con un gesto d'intesa. «Scusala, non è abituata a bere.»

«Tu sei il migliore dei mariti, e ti risposerei subito. Ma sai qual è il tuo difetto? Sei…!»

«Me lo dirai domani.»

La madre di Simona lanciò un'occhiata circolare. «Volete sapere quella di un tizio che di mestiere faceva il falegname e credeva di essere San Giuseppe? Un giorno conosce una donna e…» Il marito la trascinò via a viva forza, tra le risate generali.

Amleto posò una mano sulla mia. «Che cosa c'è, Irene?»

«La mamma di Simona mi ha detto delle cose così inaspettate, così belle… Sono commossa.»

«Ti sorprende tanto scoprire che piaci a qualcuno?»

«In questo caso sì. Sicura che non mi sopportasse, per anni ho cercato di vincere la mia umiliazione ripetendomi che era una donna limitata, meschina, bigotta…» Senza accorgermene, presi il bicchiere di Amleto e lo svuotai.

«Irene, vuoi smetterla di bere?»

«Hai paura che cominci a raccontare anch'io delle barzellette osé? Tranquillo. Non solo non mi riesce di raccontarle, ma sono sempre l'ultima a capirle… E a volte, dopo essermele fatte ripetere, devo *fare finta* di ridere perché non le ho ancora capite. Sarò un po' cretina? Mi succede anche con i test: sai, quelli per misurare l'intelligenza o i riflessi o che diavolo altro… Il mio punteggio è da sottosviluppata mentale. Se per assumermi mi avessero fatto un test, a quest'ora sarei disoccupata!» risi. Mi sentivo loquace, euforica, sicura.

Rise anche Amleto. «Simona mi ha detto che fai la logoterapista. Come mai hai scelto questa professione? È abbastanza insolita…»

«A sedici anni, in vacanza, conobbi una bambina sordomuta. Era incredibile: capiva e parlava, anche se con una vociona tutta di gola… Sua madre mi spiegò che si era rifiutata di farne una *sordomuta perfetta*, e cioè mandarla in uno di quegli istituti dove le bambine come lei imparano a diventare autosufficienti e sicure esprimendosi con il *loro* linguaggio. Lo sai che molti sordomuti rifiutano per principio di farsi capire con le parole?»

Mi interruppi per bere un bicchier d'acqua, e persi il filo del discorso. «Che cosa stavo dicendo? Ah, sì. La madre di quella bambina si rivolse a una logoterapista che la seguì per anni. Fui talmente affascinata da quel miracolo che decisi di fare anch'io quel lavoro. La mia famiglia la considerò una scelta molto… stravagante, ma…» Mi interruppi di nuovo.

«Ma…?» mi incoraggiò Amleto.

Non volevo parlare della mia famiglia. «Sta arrivando la torta» dissi. Le luci si spensero e nella saletta brillò la luce di trenta candeline, mentre tutti applaudivano lo chef e intonavano il rituale *Happy birthday*.

Simona ed Emanuele, come a un pranzo di nozze, tagliarono con le mani incrociate la prima fetta e vi furono brindisi, risate, discorsi, altri applausi.

Uscimmo dal ristorante all'una. Avevo già salutato Simona, ma d'impulso tornai indietro e le gettai le braccia al collo. «Grazie per questa serata...»

Aggrappata al braccio di Amleto, raggiunsi la sua macchina cantando. «Sono sbronza ma *lu-ci-dis-si-ma*» tenni a sottolineare mentre mi sedevo al suo fianco.

«Ti faccio un test?»

«Avanti, sono pronta!»

Mise in moto e con un'abile manovra riuscì a sfilarsi dalle due auto che lo racchiudevano a sandwich. «Cominciamo: perché, quando sono venuto a prenderti, ti sei inchiodata sul portone fissandomi come se fossi Tom Cruise?»

«Perché non eri Tom Cruise!»

«*Touché*. Quale tra gli antipasti io ho particolarmente gradito?»

«Le polpettine al salmone: ne hai prese sei. Io *odio* il salmone.»

«Di che colore è la mia cravatta?»

«Color niente! Eri l'unico uomo in pullover!»

«Più o meno, quanti bicchieri di vino ho bevuto?»

«Sei astemio?»

«Il test non prevede domande, ma solo risposte!»

Riflettei qualche istante. «Uno e mezzo: l'altra metà te l'ho bevuta io. Ah, dimenticavo lo champagne del brindisi: ma era tutta schiumetta!»

«Credi di piacermi?»

«Sì... Spero di sì.»

«Che cosa altro *odi*, oltre al salmone?»

«Sentirmi sola quando sono sola... Oddio, se te lo spiego mi intorcino. Ma giuro che non è perché sono ubriaca.»

«Allora spiegamelo.»

«Io sto bene anche da sola. Penso, leggo, faccio qualche cosa... Oppure non penso e non faccio niente, però non mi annoio, non sto male perché so che esiste un uomo che amo, e anche se non c'è è come se ci fosse... Siamo in due... La solitudine che odio è starmene lì con la certezza che, chiunque arrivi, sarò sola... Non mi sentirò in due... Ho superato il test? Ti sembro ubriaca?»

«Un'ultima domanda: se adesso ti stringessi tra le braccia e ti dicessi che ho una voglia pazza di fare l'amore con te, che cosa risponderesti?»

«Prova a chiedermelo...»

Lucidamente, gioiosamente entrai nella hall del suo albergo. Quando fummo nella sua stanza mi attirò contro di sé e mi tenne stretta accarezzandomi i capelli.

«Sei sicura di volerlo?» sussurrò poi, prendendomi il mento tra le dita.

«Sì.»

XV

Mi svegliò il ronzio di un aspirapolvere: ero scivolata nel sonno senza accorgermene e guardai istintivamente l'orologio: le due del pomeriggio. Feci una rapida doccia, mi diedi una pettinata e scesi nella hall. Il portiere prese la chiave e mi chiese gentilmente se doveva mandare a ritirare del bagaglio nella stanza: nessun bagaglio, grazie. Desideravo un taxi? Declinai con un altro grazie l'offerta: avrei fatto due passi a piedi fino al parcheggio.

Tacchi a spillo, scintillante tubino da sera e larga stola di pelliccia, mi infilai nella porta girevole combattuta tra ilarità e imbarazzo: il mio aspetto era quello, inequivocabile, della accompagnatrice di lusso di uomini d'affari o ricchi turisti di passaggio. Seguita dalle occhiate incuriosite o ammirate dei passanti percorsi a testa alta i duecento metri che mi separavano dal vicino parcheggio.

Quando fui seduta sul taxi, l'autista mi guardò attraverso lo specchietto. «Dove portiamo questa bella signora?»

Diedi l'indirizzo di casa e aprii la borsetta fingendo di cercare qualcosa. *Il cellulare!* Fu la prima cosa che vidi, e solo in quel momento ricordai che era spento dalla sera prima e lo riattivai subito. Quattordici chiamate senza risposta, segnalava il display.

Il mio primo pensiero fu per Simona: quando si preoccupava per me, temeva sempre il peggio. Feci il suo numero e mi aggredì con un furioso "so tutto!".

«Che cosa...?»

«Ovviamente anche Amleto aveva il telefonino spento, e soltanto poco fa ho saputo dove eri finita.»

«Credevo che Amleto fosse un signore» provai a scherzare.

Simona non apprezzò. «Ti rendi conto dello spavento che mi hai fatto prendere? Tommaso mi sta tempestando di telefonate dalle otto di stamattina. Quando gli ho detto che non eri venuta a dormire da me, è andato in paranoia. Anzi, *siamo*. Ti risparmio le catastrofiche ipotesi che ci siamo prospettati!»

«Be', adesso sarà tranquillo.»

«*Tranquillo?* Ormai è al delirio! Non potevo certamente dirgli che eri beata e incolume tra le braccia di un altro uomo!» D'un tratto scoppiò a ridere. «Ti giuro che nemmeno mi aveva *sfiorato* questo sospetto. Tu che vai con un uomo appena conosciuto? Tu che tradisci Tommaso? Incredibile, *inconcepibile*!»

«Dovrei sentirmi in colpa?»

«Soltanto per non avermelo detto subito.» Tornò seria. «Tommaso mi ha fatto davvero pena. Mi ha chiesto se dopo la sua telefonata da Lecco mi eri sembrata strana, se ti avevo detto qualcosa... È terrorizzato all'idea di perderti. Questo non deve influenzare le tue decisioni, sia chiaro, però tienine conto. E chiamalo subito!»

«Sono già sul taxi, diretta a casa.»

Gli anni trascorsi con Tommaso, tanto spesso in viaggio e quasi sempre in ritardo, mi avevano reso famigliari le dinamiche delle attese senza una telefonata di rassicurazione o un cenno di vita: perciò potevo immaginare, anzi, *sapevo con certezza*, qual era stato il susseguirsi delle sue reazioni.

Come aveva preannunciato la sera prima, era partito da Lecco molto presto e subito mi aveva cercato per dirmelo: a casa non rispondevo e il cellulare era chiuso. Allora mi aveva cercato a casa di Simona: appreso che non ero andata a dormire da lei, l'irritazione si era trasformata in vaga inquietudine: dove ero finita?

Arrivato a casa non mi aveva trovato, e il mio cellulare continuava a risultare disattivato. Aveva richiamato Simona, ormai preoccupata quanto lui. A quel punto, l'apprensione si era trasformata in allarme e aveva cominciato a prospettarsi le ipotesi più catastrofiche: ero stata investita, rapita, ricoverata in ospedale, violentata... Oppure me ne ero andata per sempre.

Quando l'angoscia era diventata insopportabile, l'aveva scaricata nell'aggressività contro di me, responsabile di avergliela provocata: è un'incosciente, non può permettersi di trattarmi a questo modo...

Ma, con il proseguire del mio silenzio, il terrore aveva travolto anche l'ondata di aggressività e a quel punto si era aggrappato alla speranza, implorando il cielo che non mi fosse accaduto nulla: non gli importava più se mi ero comportata da egoista e da incosciente facendolo stare male, non mi avrebbe neanche detto niente: bastava soltanto che tornassi sana e salva a casa.

Quando, scesa dal taxi, suonai il citofono, avevo la certezza che era ormai arrivato a questo stadio. Non ci sarebbero state scenate né rimostranze.

E così, infatti, avvenne. Udii immediatamente lo scatto del portone e mentre aspettavo l'ascensore sentii Tommaso chiamarmi ansiosamente mentre scendeva le scale verso il pianterreno.

«Irene, stai bene?» chiese con voce affannata e incredula.

Feci di sì con la testa. Tubino luccicante e tacchi a spillo, entrai nell'ascensore avvertendo mio malgrado, e come ai vecchi tempi, il lato ridicolo della situazione: la *femme fatale* tornava a casa dopo una notte di peccato, e il marito la fissava con una espressione interrogativa e mesta.

E adesso che cosa gli inventi? Non potevi prepararti un motivo plausibile per la tua notte fuori casa? Giusto: purtroppo non avevo la scaltrezza del ruolo, e adesso dovevo improvvisare.

«Irene, dove sei stata?» Tommaso mi chiese quando fummo dentro casa.

«Vado a fare una doccia e poi ti dico» risposi evasivamente dirigendomi verso il bagno. Ne avevo appena fatta una in albergo, ma mi serviva il tempo per riflettere. Riflettei per ben mezz'ora, facendo giungere via via a Tommaso i rumori giustificativi: lo scroscio dell'acqua, il ronzio del phon regolato al massimo, il sibilo dell'apparecchio per levigare calli e duroni.

Alla fine mi resi conto che dopo tanti anni di convivenza ci conoscevamo talmente bene da non avere più una vita personale: non esistevano amici, luoghi o case che non frequentassimo insieme ed era *impossibile* dargli una spiegazione credibile.

Ero come un'assassina senza alibi, con la grande fortuna di non essere minimamente sospettata. Confessare la verità? Lo avevo escluso subito, d'istinto. Forse quella notte anche lui mi aveva tradito, ma *non volevo saperlo*. Eravamo troppo legati per lasciarci, ma saremmo restati insieme facendoci ancora più male, incupiti dalla sfiducia e dal rancore.

Uscii dal bagno nel momento in cui Tommaso stava venendo a cercarmi. «Hai mangiato?» gli chiesi, incautamente.

Sbarrò gli occhi. «*Mangiato?* Ma ti rendi conto che ho passato le ultime ore telefonando ai carabinieri, agli ospedali, alla polizia stradale?»

Era approdato all'ultimo stadio: superato il sollievo per la fine dell'incubo, ricompariva l'aggressività verso chi l'aveva causato. A quel punto il massimo sarebbe stato esibirmi con una spiegazione intimidatoria e teatrale: ho avuto un'amnesia, mi sono sentita male e sono finita al pronto soccorso, dopo la tua telefonata ho vagato senza meta e pazza di dolore credendo che volessi lasciarmi per Monica...

Ma se avessi avuto un simile talento interpretativo, avrei fatto l'attrice e non la logoterapista.

«Ho diritto a una spiegazione, non credi?» Tommaso strillò.

«Purtroppo non posso dartela.» Nel momento stesso in cui mi sfuggì questa sincera ammissione, ebbi la folgorante visione dell'unica via d'uscita: la reticenza, il mistero.

«Che cosa significa?» chiese, visibilmente spiazzato.

«Per favore, non farmi domande. Naturalmente un motivo c'è se stanotte non sono tornata a casa, ma in questo momento non desidero parlarne» dissi in tono fermo.

Stai ispirandoti ad Agatha Christie? L'irridente autocritica mi ringalluzzì: se la celebrata signora era riuscita a mantenere il segreto della sua breve sparizione anche dopo la morte, trasformandola nel suo giallo di maggior successo, potevo ben sperare che Tommaso si arrendesse alla mia reticenza.

«Credo di avere capito» mormorò.

Che cosa? Mi trattenni dall'esternare l'interrogativo. «Se hai capito, il discorso è chiuso» dissi.

«Irene, ieri sera c'era davvero la nebbia e...» Mi guardò negli occhi. «Non sono innamorato di Monica, se è questo che credi.»

«Ti ho chiesto qualcosa?»

«No, ma potresti crederlo. Stamattina, tra le mie tante paure, c'era quella che te ne fossi andata per sempre.»

Ricacciai il groppo in gola. «Pazza di dolore e di gelosia?»

«Nessuna è come te.» Lo disse in un tono tra l'ispirato e il dolente, come se quella certezza fosse arrivata dopo un confronto deludente. Monica si era rivelata un'amante inadeguata? Aveva detto *non sono innamorato di lei*, ma era una affermazione che non escludeva la botta di sesso.

Anche io ero andata a letto con un uomo senza esserne innamorata. *Ma non è stata una botta di sesso.* No. Con Amleto avevo vissuto un rapporto singolare e irripetibile, nato e finito in poche ore. E non provavo né malinconia né sensi di colpa: ero tornata a casa come un cosmonauta dopo il volo su un altro pianeta.

«Irene, in queste ultime ore ho riflettuto molto. Quali sicurezze ti ho dato? E quali prove concrete dell'amore che ho per te? Continuavo a pensare al discorso che facesti il giorno del matrimonio di Simona... Ricordi? Sentirsi *in due*: dovunque, in ogni momento. Per la prima volta ho capito che non eri con me, che non ti ho mai fatta sentire *in due*.»

«Questo non è vero. A volte mi è successo di...»

«Perché non ti ho mai chiesto di sposarmi? Per te era importante, l'ho sempre saputo, e avrei dovuto farlo da molto tempo.»

«*Dovuto?*»

«Ti sto chiedendo di sposarmi.» Mi guardò con una espressione interrogativa e perplessa: non avevo capito? Che cosa aspettavo a gettargli le braccia al collo in un empito di gratitudine e di gioia liberatoria?

«Tommaso, sono molto stanca.» Lo ero davvero. «Non mi sembra il momento di...»

«Mi vuoi dire che cosa ti è successo?» mi interruppe brusco. La delusione si era trasformata in un nuovo soprassalto di aggressività.

«Niente.»

«Sto parlando del nostro futuro! Ti ho chiesto di sposarmi!»

«Da come l'hai fatto, sembra la doverosa proposta di un matrimonio riparatore.»

«Allora te lo dico meglio: *voglio* che diventi mia moglie, *desidero* diventare tuo marito. Ci ho messo quasi quattro anni per arrivare a questa certezza, come puoi dire una simile idiozia?»

«È una certezza oppure una decisione presa in un momento di panico?»

«Io non ti capisco più! Mi sembri impazzita!» Mi girò le spalle e uscì dalla stanza. Dopo qualche minuto udii sbattere la porta di casa. Rientrò alle dieci di sera. Ero a letto, e non gli feci domande.

Due giorni dopo mi annunciò che doveva partire per New York e che avrebbe dovuto fermarsi in America due settimane. «C'è un master per pubblicitari, e il presidente vuole che lo segua. Se hai dei dubbi, puoi telefonargli. O telefonare a sua moglie» disse acido.

Non gli risposi nemmeno.

Tommaso telefonò soltanto due giorni dopo essere arrivato a New York, segno evidente che era ancora risentito con me. Il protrarsi del suo silenzio mi aveva dato tutto il tempo per prepararmi al momento della sua chiamata, e mi attenni rigorosamente a ciò che mi ero prefissata: nessuna protesta, nessuna domanda, nessun "mi manchi". Fui formalmente affettuosa ma sostanzialmente distaccata, comportamento che corrispondeva peraltro a ciò che provavo realmente.

Dopo l'ultimo scontro, tutti i miei tentativi per abbattere il muro di gelo che Tommaso aveva eretto tra noi si erano rivelati inutili. Sapevo di averlo ferito, e proprio per questo desideravo affrontare l'argomento del matrimonio in modo meno emotivo e affrettato. Non me lo aveva permesso, e adesso anch'io provavo del risentimento per lui.

A telefonata conclusa chiamai subito Simona. Dopo la

notte trascorsa con Amleto, della quale era riuscita a farsi raccontare ogni particolare, il mio bisogno di confidarmi era diventato pari al suo desiderio di sapere.

Le nostre lunghe telefonate serali sembravano un talk show: io ero l'ospite che si esibiva nell'esposizione di un problema o di un fatto, lei l'eclettica opinionista che li metteva a fuoco spaziando a ruota libera tra dietrologia, psicologia, etica, maieutica. La mia mente doveva partorire ed elaborare la grande verità: mi stavo comportando da stronza.

Si era schierata appassionatamente dalla parte di Tommaso: mi ero sbagliata! Ti è legatissimo! È un uomo perbene!

Questo inatteso dietrofront era avvenuto dopo aver visto Tommaso angosciarsi per la mia sparizione: la colta opinionista aveva avuto un tonfo di qualità, lasciandosi coinvolgere dallo spettacolo del dolore come la spettatrice di una telenovela! Quando glielo avevo fatto scherzosamente osservare, si era molto risentita: se è una battuta, non fa ridere.

Dopo che le ebbi riferito in tempo reale e parola per parola i due minuti di telefonata di Tommaso (lui ha detto, io ho risposto, aperte le virgolette, chiuse le virgolette), tacqui lasciando la parola a lei.

«Ma tu, Irene, ti sei chiesta che cosa vuoi davvero?» disse dopo qualche istante di silenzio.

L'interrogativo mi spiazzò: mi aspettavo un commento, non la premessa di un dialogo esistenziale. «In questo momento sono molto confusa» risposi cautamente.

«E qui sta l'assurdità! Dopo anni di dubbi e di paure l'uomo che ami decide di sposarti e tu, *che non hai aspettato altro*, ti tiri indietro? È folle. Capirei se nel frattempo ti fossi disamorata di lui: preso atto di questa amara verità, glielo dici con franchezza e metti fine al vostro legame, andandotene via. E invece no!» La sua voce si alzò di parecchi toni. «Dopo averlo tradito hai la conferma che l'uomo della tua vita è sempre Tommaso e che separarti da lui sarebbe come una mutilazione. Però non lo vuoi più sposare! Preferisci convivere? Fare l'amante per sempre?»

«Questo non è assolutamente vero» obiettai decisa. «Credevo di averti spiegato quali sono i motivi della mia perplessità... Eravamo arrivati a un punto morto, il nostro rapporto era tutto uno squillare di campanelli d'allarme... Ma in poche ore, miracolo!, Tommaso ha l'illuminazione e decide di sposarmi. Se permetti, ho qualche perplessità. Diversamente da lui, questa illuminazione non l'ho avuta e mi rifiuto di nascondere la testa nella sabbia fingendo che la crisi si sia risolta. Io *voglio* sposare Tommaso, ma prima di arrivare a questo devo capire che cosa ci è successo, perché sono finita a letto con un altro uomo, qual è stato il motivo che da un giorno all'altro ha fatto crollare anni di dubbi e la sua dichiarata, viscerale avversione per un secondo matrimonio.»

«L'incontro con Amleto non ha certamente contribuito a chiarirti le idee...»

«Sbagli. Abbiamo parlato, scherzato, fatto l'amore: da mesi non stavo così bene, e proprio questo mi ha fatto capire che...»

«Una volta eri meno complicata, Irene» mi interruppe tetra.

«Sono cresciuta. E la vita è una lenta perdita di certezze» replicai con voce scherzosa. Volevo fare una battuta, e invece capii che era proprio così: non riuscivo più a compiere atti di fede, ad accettare le cose come avvenivano, a pormi le domande di cui temevo le risposte.

XVI

Durante l'assenza di Tommaso la moglie del suo presidente mi telefonò spesso. Una sera andai a cenare da lei e un'altra accettai l'invito dei coniugi Zarra. Dove incontrai nuovamente Maura, la ex domestica della mia matrigna, e quando andai in cucina per salutarla, prima di tornare a casa, mi chiese se sapevo "le ultime novità" sulla mia famiglia.

Maura le aveva apprese da Benedicta ("un po' sciupata ma sempre molto elegante"), incontrata per caso qualche giorno prima. Mio malgrado appresi a mia volta che dopo una lunghissima battaglia per l'eredità i figli di Michele e mia madre si erano messi d'accordo.

Mia madre era stata costretta a cedere la grande casa di Milano, ma aveva avuto in cambio una piccola villa nei pressi di Bellagio, dove stava per trasferirsi. La mia sorellastra era arrivata dall'America per spartire tappeti, mobili e quadri.

Sulla spartizione di tutto il resto Maura non era informata, né a me interessava conoscere ulteriori particolari: sicuramente Michele aveva lasciato quanto sarebbe bastato ai suoi eredi per vivere di rendita.

Tommaso mi telefonò da New York solamente tre volte: l'ultima per annunciarmi il giorno del ritorno. Prima di congedarsi, mi disse che sua madre era stata poco bene, ma non era riuscita a mettersi in contatto con me. Captai al volo il sottinteso rimprovero: perché non sei mai andata a trovarla? Non sei riuscita a trovare nemmeno un'ora per fare una scappata da lei?

Mi sentii più rattristata che risentita: anche se quel velato rimprovero era sgradevole, Tommaso aveva ragione. Volevo bene a sua madre, ma per qualche oscura ragione non mi era mai riuscito di creare un rapporto di consuetudine e di confidenza con lei. Forse mi metteva a disagio la sua sommessa solidarietà mai espressa, forse mi umiliava che avesse capito l'inutilità della mia battaglia per diventare la moglie di Tommaso, forse mi irritava il solo sospetto che dietro la sua gentilezza e la sua simpatia vi fosse soprattutto il desiderio di riparare all'egoismo del figlio.

Qualunque fosse la ragione, mi sentivo in colpa per quel mio affetto dimostrato soltanto nelle emergenze e in occasione di ricorrenze o feste grandi. Alla vigilia del ritorno di Tommaso decisi di andarla a trovare: per mettermi a posto la coscienza? Per l'improvviso desiderio di vederla?

Simona ha ragione, pensai mentre suonavo alla porta di Carla, sono diventata davvero complicata. Ma tutti gli interrogativi e tutte le oziose riflessioni cessarono di colpo quando venne ad aprirmi Monica.

Mi fissò con uno stupore identico al mio, ma fu la prima a riprendersi. «Ciao, Irene, come va?» chiese come se fossimo vecchie amiche.

«Sono venuta a trovare Carla. So che non è stata bene» risposi saltando inutili preamboli.

«Tre giorni fa. Adesso si è ripresa. Aspettavo che Maria tornasse dalla farmacia, ma visto che ci sei tu posso andarmene subito.»

Maria? Conosceva anche il nome della domestica? Come se mi avesse letto nel pensiero, precisò subito: «È stato Tommaso a pregarmi di dare un'occhiata a sua madre. Sapeva che tu sei molto occupata, e così tutti i pomeriggi faccio una...»

«E tu no? Credevo avessi trovato un posto in una galleria d'arte.»

Mi rivolse un bel sorriso. «È così. Sono stata assunta come direttrice, e diversamente da te non ho orari rigidi.»

Carla mi chiamò dal soggiorno: «Irene, vieni!».

Mi diressi subito verso di lei, mentre Monica raccoglieva dalla poltroncina dell'ingresso la pelliccia e la borsetta. Pochi istanti dopo ci raggiunse per congedarsi da Carla e si curvò su di lei abbracciandola con ostentata familiarità. «Domani torna Tommaso, ma se avesse ancora bisogno di me mi telefoni» le disse. Dopo avermi rivolto un altro bel sorriso uscì di scena.

Tommaso era evidentemente in contatto con Monica. Aveva informato lei, e non me, del malessere di sua madre. Nonostante la povera ragazza avesse risolto i suoi problemi, l'amicizia proseguiva.

«Che cosa hai avuto, esattamente?» chiesi a Carla prima che il silenzio diventasse imbarazzante.

«Il solito calo di pressione, niente di grave.» Mi guardò mortificata. «Se avessi avuto bisogno di qualcosa, mi sarei rivolta a te e non a una estranea. Quella ragazza era venuta qui per vedere…»

«Non devi giustificarti se un'amica di tuo figlio è stata gentile con te» la interruppi brusca.

«L'aiuto di Maria mi bastava. E Monica mi sembra più interessata ai quadri di Tommaso che alla mia salute.»

I quadri di Tommaso? La fissai interrogativamente, e scorsi nei suoi occhi l'inequivocabile espressione di chi ha appena capito di aver innescato un discorso insidioso e sta cercando il modo per uscirne.

Non gliene diedi il tempo. Attenta a non spaventarla ancora di più, osservai in tono naturale: «Monica lavora in una galleria d'arte e non c'è da stupirsi se è interessata ai quadri di Tommaso». Rivolgendole un sorriso, mi spinsi oltre: «Immagino che tu ti riferisca a quelli che tieni chiusi nella stanza… Forse è stato lui stesso a parlargliene, invitandola a venire da te per vederli».

Carla abboccò con patetica ingenuità. Rassicurata dalla naturalezza con cui ne parlavo, divenne improvvisamente loquace. «È proprio come hai detto tu. Sembrava che mio figlio si vergognasse del suo passato di artista, al punto che fino a qualche tempo fa ero stata costretta a nascondergli quelle tele… Ricordi, vero?»

Annuii con un altro sorriso. «Certo che ricordo!»

«Non so esattamente come è andata… Credo che il principale di Monica le abbia mostrato i cataloghi di alcune vecchie mostre di Tommaso. Anche lui dipingeva ed era molto amico di mio figlio…»

Fece una breve pausa, e io la incoraggiai a proseguire, i muscoli del viso irrigiditi in un sorriso ormai fisso.

«Quella ragazza ha qualcosa che non mi piace, ma devo darle atto che è riuscita a compiere un vero miracolo: ha convinto Tommaso a esporre in una mostra i quadri che sono qui e altri cinque o sei che il gallerista è riuscito a recuperare. Non ti sembra straordinario?» Carla concluse, la voce vibrante di orgoglio materno.

L'autocontrollo che ero riuscita a impormi crollò nel momento in cui Maria chiuse la porta alle mie spalle. Scesi le scale a piedi e raggiunsi la macchina in balia di una curiosa sensazione di irrealtà e stordimento. Era come la versione al negativo di quello che avevo provato dopo la notte con Amleto: stavo tornando a terra dopo un viaggio su un altro pianeta. Ma questo era un viaggio d'incubo.

La madre di Tommaso mi aveva involontariamente rivelato una realtà che andava oltre la mia capacità di giudizio e mi aveva causato una reazione di estraneità fino a quel momento sconosciuta: *sapevo* di essere arrabbiata, offesa, ferita, ma non provavo nulla, come se la consapevolezza avesse trovato una diga che impediva di superare il livello emotivo.

Accesi il televisore e mi sedetti in poltrona. Dopo poco, mi raggomitolai su me stessa e mi addormentai.

La telefonata di Simona mi svegliò alle nove. «Sei andata dal parrucchiere?» chiese allegramente. Poiché tacevo, aggiunse con lo stesso tono: «Domani torna Tommaso, te ne sei dimenticata? Se devi fare un discorso serio con lui, è meglio che lo affronti in forma smagliante!». Era una vecchia e scherzosa battuta di Simona: se discuti in bigodini e vestaglia passi per la moglie rompiscatole che fa una scenata, se invece lo fai in abito da sera sei la signora moglie che chiede una *spiegazione chiarificatrice*.

Ma in quel momento non avevo voglia di ridere. E nemmeno di parlare. «Sono appena tornata a casa e ho il rubinetto della vasca aperto per fare un bagno: ti dispiace si ci sentiamo domani?» le dissi. Con mio grande sollievo mi augurò buonanotte senza insistere e senza farmi rimarcare che non avevo il bagno, ma la doccia.

Tornai a raggomitolarmi davanti al televisore acceso, e scivolai di nuovo nel sonno. Un richiamo minaccioso, seguito da una raffica di mitra, mi fece sobbalzare: il volto di Bruce Willis comparve sul video, contratto in un ghigno provocatorio. «Non mi hai preso!» Spensi il televisore e guardai l'orologio: le due. Nonostante avessi dormito poco e male, mi sentivo riposata. Non avevo cenato, e mi accorsi di avere fame. Andai in cucina e misi a scaldare dell'acqua per preparare una minestrina di dado. Ai tempi in cui scherzavamo ancora, Tommaso mi prendeva in giro: «È possibile che una buongustaia come te ami questa sciacquetta?».

«Con molto parmigiano e i quadrucci all'uovo, è una prelibatezza!» ribattevo.

Aprii l'armadietto in cui tenevo la pasta: i quadrucci

c'erano. Dopo aver divorato la prelibatezza avevo ancora fame, e mi feci un panino con la mortadella: in assoluto, il più saporito dei salumi! Misi le stoviglie sporche nella lavastoviglie e infine andai a struccarmi per poi infilare la camicia da notte.

Anche se il sonno mi era completamente passato, decisi di andare a letto. Sono sola e non mi sento sola, pensai quando fui sotto le coperte guardando il posto vuoto di Tommaso.

Stavo bene. E potevo pensare a quanto avevo appreso da sua madre senza soffrirne. La diga aveva retto: l'ondata di incredulità, umiliazione e rabbia si era definitivamente ritratta e adesso potevo analizzare i fatti e guardare dentro me stessa con lucidità.

Tommaso non aveva mai avvertito il desiderio di mostrarmi i suoi quadri e le rare volte in cui avevo cercato di farlo parlare degli anni in cui dipingeva, la sua reazione era stata infastidita ed evasiva. Col tempo, anche quello era diventato un argomento tabù. *Ma non con Monica.* Alla luce di ciò che ora sapevo, il loro rapporto mi sembrava ben più intimo e coinvolgente di un tradimento fisico perché era con lei, e non con me, che Tommaso aveva condiviso e ritrovato la parte migliore di sé.

Anch'io l'avevo ritrovata con un altro uomo, ma soltanto per una notte. Quel ricordo mi causò una fitta di tristezza che mi tolse il respiro. Fra poche ore Tommaso sarebbe tornato a casa e a rendermi triste era anche il sapere quello che avrei dovuto affrontare: il disagio di rivederci, la fatica di colmare tre settimane di ripicche e di silenzio, l'obbligo di chiarire tutto quello che negli ultimi tempi non ci eravamo detti o ci eravamo detti male.

E dopo? Nel momento stesso in cui mi proiettai nel nostro futuro rividi l'abisso e me ne ritrassi desolata. Non sarebbe cambiato niente. Per anni avevo vegliato il nostro amore come l'infermiera di un ammalato pessimista, scorbutico, esigente, dispettoso. Forse lo amavo ancora, ma anche il nostro rapporto si era ammalato. Non potevo sposarlo. Non potevo più continuare a vivere con lui. Tutta la stanchezza di quegli anni mi piombò addosso. È finita, pensai desolata. E scivolai in un sonno profondo.

La sveglia suonò alle sette. Il telefono squillò mezz'ora dopo, mentre stavo bevendo un caffè prima di andare al Poliambulatorio. Era Simona. «Che cosa è successo?» esordì senza preamboli. «Non rispondere *niente*, lo sai che ho le antenne: ieri sera ho finto di credere alla tua balla del...»

«Ho deciso di lasciare Tommaso» la interruppi. Prima di essere investita dalle sue domande a raffica, le raccontai della visita alla madre di Tommaso e di quello che suo malgrado mi aveva fatto sapere. Parola per parola, aperte le virgolette e chiuse le virgolette.

Simona mi lasciò parlare senza interrompermi. Ne approfittai per arrivare alla conclusione: «Tempo fa mi hai chiesto se sapevo davvero quello che volevo dalla vita. Stanotte ho finalmente capito quello che *non* voglio: essere infelice, restare accanto a un uomo a cui non so più che cosa dare e che cosa chiedere».

«Sei stata molto chiara» Simona disse dopo un silenzio che sembrò lunghissimo. «Mi dispiace per lui, ma dopo quello che mi hai detto del suo rapporto con Monica penso che tu non debba farti troppi scrupoli.»

«Se lo amassi come una volta potrei perdonargli anche un tradimento... Il loro rapporto, di qualunque natura sia, è nato perché il nostro non esisteva più. Non lo lascio per Monica, ma perché finalmente ho trovato il coraggio di ammettere questa verità.»

«Forse ti ha aiutato anche l'incontro con Amleto» Simona buttò lì con voce leggera.

«Non dire sciocchezze. Adesso ti lascio perché devo andare al...»

«A che ora torna Tommaso?»

«Non me l'ha detto. Ma gli parlerò e mi organizzerò per lasciare al più presto questa casa. Purtroppo ho dato in affitto la mia vecchia mansarda e dovrò cercare un'altra sistemazione.»

«Nel frattempo puoi stare a casa mia. C'è una stanza per gli ospiti e sono sicura che Emanuele sarebbe felice quanto me se...»

«Ne riparleremo. Grazie di tutto, Simona.»

Tommaso arrivò alle nove di sera, tre ore dopo il mio rientro dal Poliambulatorio. Aveva un forte raffreddore e la febbre: doveva sentirsi davvero poco bene, perché non ebbe né l'energia né la voglia di proseguire la recita dell'amante respinto e offeso. Dopo avermi abbracciato affettuosamente, andò subito a letto, scusandosi. Era chiaro che avrei dovuto rimandare all'indomani il discorso che dovevo fargli: il disappunto si trasformò in un moto di risentimento e di insofferenza nei suoi confronti.

Me ne vergognai subito e, quasi a punirmi, rientrai nei ranghi dell'infermiera andando in cucina a preparargli una tazza di latte bollente con un cucchiaio di miele. Ma, quando entrai nella stanza da letto, Tommaso dormiva già.

Sfogliai qualche giornale e mi sforzai di leggere un libro. Alle dieci e mezzo presi due lenzuola, un plaid e preparai il divano per la notte. Avevo preso la decisione di lasciarlo, e dormire con lui mi sembrava come stare accanto a un estraneo.

Il telefono squillò dieci minuti dopo e sollevai il ricevitore sicura che fosse Simona: invece era Monica.

«Scusa se disturbo a quest'ora, ma devo parlare con Tommaso. È tornato, vero?»

Più che la sua telefonata, mi stupì la totale indifferenza con cui la ricevetti. Come aveva potuto il rapporto con Tommaso degradarsi a quel punto, senza che me ne rendessi conto?

«È tornato, sì, ma è andato subito a letto perché non si sentiva bene.»

«Forse non dorme ancora. Puoi controllare?»

Stavo per risponderle che dormiva da oltre un'ora: ma Tommaso, svegliato dallo squillo del telefono, comparve sulla porta del soggiorno. «Chi è?» chiese con voce impastata.

«Monica.» Gli tesi il ricevitore e andai in cucina, sperando che a conversazione finita tornasse a letto.

Invece mi raggiunse pochi minuti dopo. Dal suo viso era sparita ogni traccia di sonno. «Perché dormi in soggiorno?» chiese accigliato.

Per non disturbarti, avrei dovuto rispondere. Ma la prontezza di riflessi mi aveva evidentemente abbandonata nel momento in cui avevo deciso di dire addio anche alle simulazioni, ai discorsi circospetti, alle piccole strategie.

«Adesso sei stanco. Ne riparleremo domattina» dissi.

«*Parlare* di che cosa? Ti ho solo chiesto perché…» Si interruppe con una espressione infastidita. «Ho capito, te la sei presa perché non ti ho chiamato tutti i giorni da New York. Ho fatto male, ma ero furioso con te. In ogni caso, sono tornato deciso a mettere fine a tutti i malintesi. Non ti senti pronta per sposarmi? Aspetterò tutto il tempo necessario.»

«Non voglio sposarti, Tommaso.» Ecco, l'avevo detto.

Esitò solo un attimo. «Ne riparleremo. In fondo, quello che conta è soltanto stare insieme.»

Era tutta qui la sua smania di matrimonio? La folgorante illuminazione che aveva fatto crollare anni di titubanze? La sua superficiale resa mi offese. «Noi non *stiamo insieme* da molto tempo» dissi fredda.

«Irene, sono troppo stanco per…»

«Va bene, parleremo domattina.»

«Non hai capito! Sono stanco dei tuoi discorsi, dei tuoi scontenti, del tuo volere e non volere!»

«Forse sei semplicemente stanco di me.»

«Questa ci voleva! È una insinuazione? Alludi forse a Monica?»

«Monica non c'entra» lo guardai negli occhi. «Noi non *stiamo insieme* perché abbiamo smesso di desiderarlo, perché non sappiamo più che cosa dirci, perché non ci piacciamo più.»

«Siamo soltanto in crisi, come succede a tutte le coppie» Tommaso ammise.

«E volevi sposarmi? Ti sei addirittura offeso a morte perché ho chiesto tempo?»

«Questo è successo tre settimane fa, prima che...» Troncò la frase e corresse: «Avevo avuto una tale paura di perderti che non potevo mettere in dubbio i miei sentimenti».

«Anche io avevo paura di vivere senza di te. La sola idea mi terrorizzava... In realtà avevo paura di ammettere che non ti amavo più perché senza la certezza di questo amore mi sentivo perduta. È quello che è successo anche a te. Perché non lo ammetti?»

«Non è possibile. L'ho detto anche a...» Di nuovo troncò la frase. La stanchezza doveva aver allentato anche i suoi riflessi, perché per due volte era stato sul punto di parlare di Monica. Anche se si era interrotto, il senso mi era chiaro. Mi aveva chiesto in moglie *prima* che iniziasse la relazione con lei. *Anche* Monica cercava di convincerlo che la nostra storia era finita.

Ma Monica non c'entrava con la nostra rottura e nemmeno accennai a lei o a quello che Carla mi aveva detto. Non volevo alibi, non volevo risse meschine. Quattro anni della nostra vita meritavano il rispetto di una fine dignitosa e della verità.

Me ne andai tre giorni dopo, portando via soltanto i

vestiti e le poche cose che mi appartenevano. Tommaso non volle essere presente e uscì dopo una scenata che mi tolse anche il rispetto per lui. Mentre svuotavo un cassetto mi venne tra le mani il vassoio acquistato agli inizi della nostra convivenza e rimasi per qualche istante a rimirare Adamo ed Eva che si erigevano sui manici, e Caino e Abele che nuotavano in un laghetto...

Lo gettai tra le cartacce scacciando il groppo di tristezza. La storia con Tommaso era stata come quel vassoio, irresistibilmente orrenda. E me ne stavo andando per salvarmi.

XVII

Le feste di Natale erano ormai alle porte e accettai l'ospitalità che Simona ed Emanuele mi offrirono con perentorietà e calore. Quell'anno il Poliambulatorio Igea chiuse il 20 dicembre e avrebbe riaperto solo il 10 gennaio perché fossero terminati alcuni lavori di ristrutturazione: la prospettiva di venti giorni senza impegni, che poco prima sarebbe stata angosciante, mi parve invece un dono insperato.

Ne avrei approfittato per cercare una casa, riprendere i contatti ormai sporadici con il Centro di Antonia Pozzi, godermi la piccola Irene.

La sera della vigilia Simona organizzò come ogni anno una cena per i parenti più stretti: i suoi genitori, i suoi suoceri, il fratello di Emanuele, l'amatissima zia e madrina. Quella era la "grande famiglia", con il calore, le sicurezze e i veri rapporti di solidarietà e d'affetto che a me erano mancati. E fui grata a tutti perché, quella sera, mi fecero sentire come se anch'io ne facessi parte.

Alle dieci Simona si alzò da tavola per portare a letto Irene. Quando tornò si avvicinò a Emanuele e, prendendolo per una mano, disse: «Dobbiamo darvi una bella notizia: aspettiamo un altro figlio».

Lo sapevo da due giorni. Simona, d'accordo col marito, aveva deciso di lasciare il lavoro per dedicarsi a tempo pieno alla famiglia. A mezzanotte andammo a messa nella chiesa vicina, lasciando la piccola Irene con la prozia. Fissai il grande presepe illuminato alla sinistra dell'altare, con la culla di paglia vuota dentro la grotta. Chiusi gli occhi cercando di scacciare le lacrime: pensai a Sara che se n'era andata, ai figli che avevo vanamente desiderato, al vuoto della mia vita.

Simona mi strinse per un braccio. «Guarda» sussurrò. Aprii gli occhi. Il sacerdote stava dirigendosi verso il presepe seguito da due chierichetti. Teneva sollevato tra le mani il piccolo Gesù, e lo depose lentamente, solennemente nella culla mentre dall'organo esplodevano le note dell'*Adoremus*.

Era un segno? Simona si curvò verso di me. «Avrai un anno bellissimo» mi disse con forza. Quello che stava per finire era stato il più malinconico della mia vita.

La mattina del 26 dicembre telefonai ad Antonia Pozzi per farle gli auguri e preannunciarle la mia visita con un'amica. Simona aveva raccolto in due sacche tutti i vestiti, i golfini e le tute che a Irene non entravano più e intendeva regalarli ai piccoli del Centro.

Benché le avessi parlato spesso dell'attività dell'assistente sociale e dei drammi che cercava di risolvere, Simona fu sconvolta dalla visione della grande stanza affollata di culle e di seggioloni. Gli sguardi dei bambini erano privi di vivacità, come assorti nella consapevolezza del loro abbandono.

«Ma perché non li date in adozione? Fregatevene dei genitori che non lo permettono!» Simona protestò con veemenza.

Antonia spiegò anche a lei, pazientemente, che in molti casi gli stessi genitori erano vittime incolpevoli e la legge doveva tutelare anche i loro diritti e i loro sentimenti.

E dopo Simona anche io ebbi una reazione violenta: fu quando Antonia mi disse che Davide era di nuovo senza famiglia: come aveva previsto, la *eroica* coppia a cui era stato affidato non aveva retto all'impatto con un bambino tanto problematico.

«Adesso, a quasi quattro anni, Davide ha ricominciato a farsi la pipì addosso e non parla più» Antonia disse con tristezza.

«L'avete riportato in un istituto?» chiesi inorridita.

«Aspettiamo l'ordinanza del Tribunale minorile. Intanto lo teniamo qui. Oggi una volontaria l'ha portato a fare una passeggiata e a visitare un presepe.» Simona volle conoscere tutta la storia di Davide, e ne fu sconvolta quanto me.

«Adesso che non lavoro più» disse all'assistente sociale «troverò il tempo per darle una mano anch'io. Posso portare a passeggio Davide con la mia bambina, ospitare qualche piccolo, rendermi utile qui.»

Antonia fu visibilmente colpita dalla disponibilità della mia amica. La guardò con simpatia. «Ti ringrazio fin d'ora» disse passando subito al tu. «Anche se per Davide è troppo tardi, ci sono molti altri bambini che puoi aiutare.»

Prima di lasciare il Centro, le raccontai che la mia relazione con Tommaso era finita e stavo cercando una nuova casa.

Antonia scosse la testa. «Mi dispiace, ma forse per te è una buona cosa. Sei troppo giovane per portarti addosso tanti dolori non tuoi.»

«Ho trent'anni, Antonia.»

«Ma Tommaso era troppo vecchio per te.»

Capii che non alludeva all'età, e tacqui. Stavamo congedandoci da lei quando la volontaria rientrò con Davide. Era nel passeggino, come un bebè, e teneva reclinata la testa sullo schienale succhiandosi il pollice, in una immobilità straziante. Simona si curvò su di lui accarezzandogli i capelli e chiamandolo per nome. Davide non si mosse.

«Perché non lo uccidono?» Simona proruppe quando fummo fuori. «Sarebbe meno criminale che mandarlo a morire giorno dopo giorno in un orfanotrofio.»

«Io ammazzerei la coppia che l'ha preso e buttato via come un giocattolo rotto» replicai con ferocia.

Tommaso mi telefonò a casa di Simona la mattina del 31 dicembre. Era il suo primo segno di vita da quando ci eravamo lasciati, e pensai che volesse farsi perdonare le amare e sgradevoli parole con cui si era congedato da me: mi hai rovinato la vita, non voglio vederti mai più, sei peggio di tua madre e di Benedicta...

«Sono contenta di sentirti» gli dissi appena udii la sua voce.

«Io no. Ti ho chiamato soltanto per pregarti di comunicare a amanti e amici che non abiti più qui.» Interruppe la comunicazione senza aggiungere altro, e un quarto d'ora dopo Simona mi trovò seduta accanto al telefono allibita e tremante di rabbia.

«Che cosa è successo?»

Le riferii la sibillina frase di Tommaso e prevenni il suo interrogativo. «Non mi ha detto altro. Deve essere impazzito!»

«A quanto pare, continua a pensare che tu gli abbia rovinato la vita.»

Mi riscossi. «Pensi quello che vuole! Vada all'inferno! Sono *felice* che mi abbia fatto questa telefonata, perché mi sono finalmente liberata da ogni scrupolo.»

«Non dirmi che ne avevi.»

«Sì. L'autofustigazione e i sensi di colpa erano l'unica

cosa che mi era rimasta dei nostri disgraziati quattro anni. Adesso, grazie al cielo, non c'è più niente.»

Era un altro filo che si spezzava, dopo quello coi miei genitori, con la mia matrigna, con Benedicta. «*Exit Tommaso*» declamai.

«Brava, così si fa. Stamattina non devi andare dal parrucchiere?»

Guardai l'orologio: le undici. «Ho appuntamento tra mezz'ora, corro a farmi bella per i miei amanti» risi alzandomi dalla poltrona.

«Io aspetto mia zia per lasciarle Irene e poi faccio un salto da Antonia. Voglio presentarle Emanuele.»

Infilai cappotto e sciarpa, presi la borsetta, andai a dare un bacio alla piccolina e uscii. Aveva cominciato a nevicare. Adoravo la neve. Fin da bambina avvertivo la magia di quella coltre bianca che ricopriva i tetti, le strade, gli alberi trasformandoli in un silenzioso paesaggio di fiaba.

Percorsi il breve tratto che mi separava dalla macchina a testa alta, respirando a fondo. *Signore, grazie*. Qualunque cosa avesse deciso per il mio futuro, quello era un perfetto momento di grazia. Da quanto tempo non mi sentivo così bene?

Quando abbassai la testa lo vidi. *Amleto*. Era fermo a pochi passi da me e mi venne incontro. «Aspettavo che smettessi di sorridere» disse. Stava sorridendo anche lui.

«Che cosa fai qui?» chiesi. La più cretina delle domande.

«Passavo per caso.»

«Che combinazione! Anch'io.»

Scoppiammo a ridere. Amleto fu il primo a smettere. «Dopo un mese di vado o non vado, è giusto o sbagliato, ho il diritto o non ho il diritto, stamattina all'alba sono andato all'aeroporto e ho preso il primo aereo per Milano con un posto libero. Un volo alla cieca. Non sapevo se eri partita per le vacanze di fine anno, non sapevo se...»

«Potevi telefonare a Simona.»

«Non mi andava di coinvolgerla. E soprattutto avevo paura che mi desse del pazzo. Irene, di una cosa ero certo: *dovevo* tentare. *Dovevo* dare una risposta ai miei dubbi. E così ho fatto molto di peggio che chiamare Simona: ho telefonato a casa tua.»

«Non abito più lì. Io e Tommaso ci siamo...»

«L'ho capito da come mi ha risposto. Ma tra un insulto e l'altro mi ha detto che eri da Simona.»

D'un tratto mi era chiaro il senso della sua telefonata sibillina, l'allusione a amici e amanti.

«Anche io e la Callas ci siamo lasciati» si affrettò ad aggiungere, forse fraintendendo il mio silenzio.

«Ne sono felice» dissi d'impulso, avvertendo davvero un brivido di gioia.

«Anch'io.» Amleto allargò la falda del suo cappotto e fece per coprirmi. «Ti sto facendo...»

«Mi piace la neve.»

«Anche a me. Il taxi mi ha scaricato qui due ore fa e mi sono piazzato nel bar di fronte alla casa di Simona disposto a aspettarti per l'eternità.» Di nuovo quel suo sorrisone a salvadanaio. «Ogni tanto, in balia dell'impazienza, mi avvicinavo al portone chiedendomi *amleticamente*: citofonare o non citofonare? E d'un tratto ti ho vista uscire, con il sorriso più rassicurante del mondo: dopo aver parlato con Tommaso avevo paura che tu fossi a pezzi per la fine della vostra storia.»

«Sto bene.»

Passò una mano sui miei capelli per togliere i fiocchi di neve: «Se ti tengo ancora qui, tra poco starai malissimo».

«Sto bene» ripetei. «Anche al meglio, come al peggio, non c'è mai fine.»

«Sembra bella, ma non l'ho capita.»

«Poco fa, andando verso la mia macchina, pensavo a

quanto stavo bene... Ero libera, in pace con me stessa e c'era la neve... Sembrava un momento incantato. Ma poi ho visto te.»

«Hai parlato di una macchina?»

Indicai il marciapiede di fronte. «L'ho parcheggiata lì.»

Mi circondò le spalle. «Andiamo a parlare da qualche parte.» Gli diedi le chiavi. Amleto aprì la portiera, aspettò che mi sedessi e si mise al volante. «Dove dovevi andare?» mi chiese prima di mettere in moto.

«Dal parrucchiere.»

«Rivoluziono la tua vita se ti chiedo di rimandare?»

«Tutto qui? Ci vuole ben altro!»

Amleto non rispose e tacqui anch'io. Ero stordita e incredula. Quasi a rendermi conto che non fosse un sogno, posai una mano sulla sua. La sollevò dal volante e me la strinse, continuando a guidare in silenzio. La neve continuava a scendere a larghi fiocchi volteggianti e i piccoli abeti natalizi agli ingressi dei negozi erano già imbiancati. Ci stavamo avvicinando al centro.

Amleto svoltò a sinistra e poi a destra. Con un tuffo al cuore vidi che eravamo poco distanti dall'hotel dove avevamo trascorso la notte.

Si girò brevemente verso di me, ma subito tornò a guardare la strada. Vidi un taxi accostato al marciapiede, e un fattorino dell'hotel che stava aiutando l'autista a caricare dei bagagli. Amleto superò il taxi e proseguì: ne fui sollevata e delusa allo stesso tempo.

«Ti desidero da stare male, ma non voglio portarti a letto» disse a un tratto continuando a guardare davanti a sé. Alla prima traversa svoltò a sinistra. Era un senso vietato, ma non osai aprire bocca. Accostò la macchina, spense il motore e mi fissò coi suoi piccoli occhi allegri. «Sei disposta a sottoporti a un altro test, Irene? Questo è molto più impegnativo.»

Capii che cosa intendeva dire. «Chiedimi tutto quello che vuoi sapere.»

«Voglio delle risposte chiare. È ammesso anche il "non so", "non ho ancora capito".»

«Sono pronta» dissi quasi solennemente.

«Hai pensato a me, dopo che sono partito?»

«Sì... No. Ogni volta che mi venivi in mente, scacciavo il pensiero di te. Ero certa che non ci saremmo rivisti più.»

«Hai detto a Tommaso di noi due?»

«No.»

«Questo silenzio ti ha creato dei sensi di colpa?»

«Mai.» Lo guardai negli occhi. «Non so perché, ma la notte che ho passato con te non mi sembrava una cosa disonesta, un tradimento...»

«È stato lui a lasciarti?»

«L'ho deciso io, anche se...»

«Quella notte ha influito in qualche modo nella tua decisione?»

«Sì. Mi ha fatto capire che con Tommaso non ero più felice da molto tempo.»

«Ti è capitato di avere qualche momento di nostalgia?»

«Con il suo comportamento, Tommaso non me lo ha permesso.»

«Hai del rancore nei suoi confronti?»

«Non più. Era infelice anche lui, e credo che questo lo abbia incattivito, peggiorato.»

«Se ti avesse chiesto di sposarlo, le cose sarebbero andate diversamente?»

«Me lo ha chiesto, la mattina dopo... dopo il compleanno di Simona.»

Sembrò molto stupito. «E tu?»

«Per anni avevo desiderato di diventare sua moglie, e quando si è deciso ho avuto una reazione molto sgradevole. *Sgradevole* anche per me.»

«Puoi spiegarti meglio?»

«Mi sono sentita irritata per la sua superficialità, spaventata all'idea di sposarlo. Il matrimonio non poteva essere una via di fuga da tutti i problemi che avevamo.»

«Un'ultima domanda, Irene: perché mi hai detto che non l'avresti lasciato mai, che era lui l'uomo della tua vita? Sono tornato a Roma credendolo davvero.»

«Anche io lo credevo. Avevo perso tutte le certezze, e avevo il terrore di perdere anche quella.»

Amleto mi tirò indietro una ciocca di capelli e sorrise. «Mi hai detto le cose che speravo di sentire. A questo punto anche tu hai il diritto di farmi delle domande: siccome so quali sono, ti darò subito le risposte. Pur sapendo che eri innamorata di Tommaso, il ricordo di te è diventato ogni giorno più invasivo e molesto… Tre settimane fa ho lasciato la mia donna perché non riuscivo più nemmeno a fare l'amore con lei. Del nostro rapporto ti avevo già parlato: escludo di poter avere dei rimpianti per lei. Per inciso, la sua reazione è stata violenta come quella di Tommaso: mi ha accusato persino di essere impotente! Ti ho parlato anche di tutti i dubbi e le paure che mi hanno trattenuto dal venirti a cercare subito. Stamattina mi sono deciso perché non è nella mia natura vivere nell'incertezza o farmi del male. Ma devo confessarti che dentro di me, presuntuosamente, covavo la speranza che neppure per te quella notte fosse stata un'avventura, una bella parentesi.»

«Non sbagliavi.»

«Sopravvaluti la mia capacità di giudizio, Irene. Quando ti ho lasciato in albergo ero deciso a non rivederti più perché tu avevi un rapporto difficile, io un rapporto incasinato e credevo che incontrandoci di nuovo ci saremmo creati soltanto delle inutili sofferenze. Non avevo capito che la sofferenza peggiore era quella di non vederti più e di non sapere se anche per te era la stessa cosa.»

«Adesso che ti ho rivisto, sono sicura che non incontrarti più mi dispiacerebbe.»

«Irene, io non voglio un'avventura o una relazione. Sono profondamente attratto da te e...»

«*Potresti* innamorarti» lo interruppi. «Sono parole tue.»

«Parlo di amore vero. *Essere in due, sempre. Non sentirsi soli quando si è soli*: sono parole tue» mi rifece il verso. Mi prese una mano e se la portò sul cuore. «Lo senti come batte forte? Mi sono innamorato di te come un ragazzino alla prima cotta, ma ho trentaquattro anni e voglio una famiglia, dei figli. Ci siamo visti soltanto due volte, e prima di impegnarmi con te devo avere la sicurezza di amarti e di essere amato. Per me, nella buona e nella cattiva sorte, il matrimonio deve essere per sempre.»

«È un discorso molto onesto.»

«Lo siamo tutti e due. Per questo ti chiedo se vuoi darmi la possibilità di conoscerti meglio, di stare con te, di vederti ogni giorno.»

«Lo vorrei, certo. Ma come è possibile? Io abito qui, tu a Roma...»

I suoi piccoli occhi si illuminarono. «Se il problema è solo questo, posso risolverlo facilmente! Il giorno del compleanno di Simona ero a Milano per un colloquio di lavoro: una clinica privata mi aveva offerto il primariato del reparto pediatrico e fino a una settimana fa era ancora libero. Sono certo che lo è ancora: come hai detto tu, al meglio non c'è mai fine!»

Gli gettai le braccia al collo. «Sono certa che mi innamorerò di te!»

Il cuore gli batteva sempre forte. «L'affiatamento fisico è fondamentale» mi sussurrò all'orecchio. «Saremo davvero compatibili?»

«E se fossi un maniaco sessuale?» risi.

«È tuo diritto toglierti ogni dubbio.»

Amleto rimise in moto e, mentre girava a vuoto alla ricerca di un posto dove parcheggiare la macchina, io chiamai Simona. Era ancora al Centro con Emanuele.

«E tu sei ancora dal parrucchiere?»

«Non ci sono andata. Uscendo da casa tua ho incontrato Amleto e...»

«*Amleto?*»

«Simona, sono in macchina con lui e ti ho chiamato per dirti di non stare in pensiero se stasera arriverò in ritardo.»

«Puoi anche arrivare domattina, l'importante è che mi abbia avvertita!»

«Se non ci vediamo, buon anno.»

Un attimo di pausa. «Non credere di cavartela così, eh? Dovrai raccontarmi *tutto*.»

XVIII

Alla fine della vita, avrei impiegato quaranta secondi per ricordare i due giorni più felici dei miei primi trent'anni. *Parcheggiata la macchina, andammo a pranzo e prima di portarmi nell'hotel dove avevamo già trascorso una notte mi sottopose a un altro test per accertarsi che non fossi ubriaca. Amleto chiese una suite, ma la tappezzeria e il letto erano identici a quelli della stanza dove eravamo stati la prima volta.*

Ci alzammo soltanto per il cenone, perché lui pretese di festeggiare alla grande l'arrivo dell'anno nuovo. Subito dopo il brindisi, tornammo a rinchiuderci nella nostra suite e vi restammo fino al pomeriggio del due gennaio, facendoci servire i pasti nel salotto.

Tra i momenti più esilaranti vi furono quelli dell'*Oddio, Simona!* Capitò quattro volte: quelle in cui, sciogliendomi dall'abbraccio di Amleto, mi ricordavo di lei e correvo a prendere il telefonino per tranquillizzarla sul protrarsi della mia assenza.

«*Ancoraa?!*» Simona sbottò all'ultima chiamata. Era esterrefatta.

La mattina del due gennaio ci svegliammo alle nove e ci facemmo portare la colazione nella suite. «Secondo te i camerieri ci guardano con aria complice o divertita?» dissi addentando la seconda brioche.

«Sicuramente ti sei fatta una pessima reputazione.»

«Ho capito che in portineria e al ricevimento mi hanno riconosciuta! La prima volta sono uscita dall'hotel alle due del pomeriggio in abito da sera e tacchi a spillo, e la seconda mi sono ripresentata in giacca a vento e scarponcini. Credo che le perplessità del personale riguardino più il mio abbigliamento che la mia morale. Chi sono? Un'alpinista dalla doppia vita oppure una prostituta che ama lo sport?»

«In effetti, quando siamo scesi nel salone per la cena di mezzanotte il maître ha avuto qualche istante di esitazione: eri la sola signora in maglione e pantaloni di fustagno.»

«E scarponcini!»

«Ma eri l'ospite di un signore che ha chiesto una suite presentando la Platinum card dell'American Express…»

«Vuoi insinuare che mi hai salvato dall'essere cacciata dal ristorante?»

«Così funziona, ragazza mia.»

Alle dieci Amleto telefonò alla clinica Puer per fissare un appuntamento con il direttore sanitario. Dopo averlo pregato di aspettare, la segretaria glielo passò personalmente: andava bene per quella mattina stessa, all'una? Amleto rispose che andava benissimo.

«Ti presenti con quei vestiti?» chiesi indicando giacca e pantaloni sformati dalla lunga sosta sotto la neve. «Per il cenone potevi apparire uno stravagante riccone, ma per un aspirante primario non mi sembrano il massimo.»

«Forse hai ragione. Ma come faccio?»

«Elementare: mentre io cerco di rendermi presentabile per il ritorno da Simona, tu vai nel negozio più vicino e ti comperi un completo. E anche una…» Mi interruppi. «Cielo, mi sto comportando come una moglie brontolona quando non ho ancora la certezza che siamo sessualmente compatibili!»

«I negozi chiudono a mezzogiorno. Se credi, possiamo fare un'altra verifica...» insinuò allungando una mano.

«Se mi tocchi, chiamo il centralino!»

«Quando mia nonna vedeva qualcosa che sembrava *perfetta*, che fosse una mela o una persona, la sua reazione era: dove sta il difetto?»

«Che cosa significa, Amleto?»

«Che me lo chiedo anch'io: dove sta il difetto di Irene?»

«E...?» Lasciai la frase in sospeso.

«Non l'ho ancora trovato.»

Avvampai di piacere. «È solo la seconda volta che ci vediamo.»

«*Vedere* mi sembra un verbo limitativo per definire i nostri incontri.»

«Ho la tua stessa paura» dissi diventando seria. «È davvero possibile che abbia incontrato l'uomo dei miei sogni?»

«Non ti nasconderò mai nulla. Non ti mentirò mai. Non ti farò mai del male.» Mi abbracciò. «E non sopporto di vederti triste.»

Non lo ero più. «Adesso va' a comperare il vestito. E anche una camicia adatta.»

«Hai ragione, sai? Ti stai comportando già come una moglie autoritaria e brontolona.»

Un'ora dopo l'uscita di Amleto la portineria mi telefonò per avvisarmi che era arrivato un pacco per me: desideravo che mi fosse portato nell'appartamento?

Un pacco per me? Incuriosita risposi di sì. Era la sacca di una boutique. Quando la aprii, non potei trattenere una risata: si trattava di uno stupendo costume tirolese in loden, lungo fino ai piedi e con il corpetto ricamato. Era accompagnato da un biglietto di Amleto: *Per una uscita sbalorditiva dall'hotel. Ne avrai il coraggio?*

Arrivò poco dopo, già rivestito a nuovo. «Ti è piaciuto il mio regalo?» chiese posando sul letto la sacca coi vecchi indumenti.

«Ne sono estasiata. Come puoi pensare che non abbia il coraggio di metterlo? Adesso devi andare, il tuo appuntamento è tra mezz'ora.»

«Quello che mi rattrista è dover tornare a Roma stasera.»

«È stato molto più triste l'altra volta, perché eravamo sicuri di non rivederci più.»

Quando Amleto uscì, feci scorrere l'acqua della vasca, vi sciolsi un flaconcino di microsali profumati e restai immersa a lungo tra gli effluvi di gelsomino. Lavai vigorosamente i capelli col getto della doccia, e infine mi avvolsi in un grande accappatoio chiedendomi perché mai solo negli alberghi si potevano trovare accappatoi dalla spugna tanto morbida e assorbente.

Su una mensola vidi anche un cestino ricolmo di prodotti di bellezza miniaturizzati: scelsi una maschera dall'incoraggiante nome *Miracle* e dovetti strizzarne ben sei tubetti per avere la quantità sufficiente a ricoprire viso e collo.

Tornai a letto e mi sdraiai come da istruzioni: quindici minuti di immobilità per aspettare il miracolo. Mi sentivo *fisicamente* felice e godevo di quella sensazione. Felicità era vivere momenti così e sapevo bene quanto fossero brevi e rari. Qualunque difetto avessi scoperto in Amleto, qualunque difficoltà, sofferenza o sconfitta ci riservasse il futuro, la sola cosa che speravo era di non perdere più la capacità di saper rivivere quei momenti, di non disabituarmi un'altra volta ad essere felice. Soltanto questo mi aspettavo da Amleto.

I quindici minuti erano passati. Mi alzai per andare a rimuovere la maschera e, osservandone l'effetto allo specchio, dovetti ammettere che era più che soddisfacente. *Il tuo viso ti piace perché sai che piace a lui.* Anche il corpo, mi risposi ridacchiando. A colpi di phon, e con l'aiuto del solo pettinino in dotazione dall'hotel, cercai di dare una piega ai capelli. Non avevo in borsetta neppure l'astuccio del rossetto. Mi sorrisi con simpatia: sei carina lo stesso.

Sfilai l'accappatoio e cercai di pensare dove al ritorno dal cenone avessi lasciato la mia biancheria: in una poltrona del salotto! Arrossii ricordando con quanto desiderio Amleto mi aveva sfilato slip e reggiseno dopo il frenetico abbraccio che ci eravamo scambiati al ritorno nella nostra suite. Erano ancora lì, perché in quei giorni avevamo aperto la porta solo ai camerieri del ristorante e del bar.

E arrivò infine il momento di indossare il costume tirolese. Mi era sfuggita la balza di passamaneria che guarniva i bordi delle maniche! Stavo per indossarlo quando Amleto ritornò dal suo appuntamento. Non gli diedi il tempo di esternare l'ammirato sbalordimento che vidi nel suo sguardo nel momento in cui gli aprii in slip e reggiseno. «E allora, come è andata? Il posto è ancora disponibile?» gli chiesi.

«Firmerò il contratto la prossima settimana: per correttezza preferisco dare prima le dimissioni.»

«E se tra noi non funzionasse?» chiesi esprimendo un dubbio che mi era venuto in quel momento. «Ti ritroveresti in un'altra città, in un'altra casa, magari con un lavoro che non ti piace.»

«Piccole cose, al confronto del nostro fallimento!» Mi prese tra le braccia. «La segretaria del mio futuro capo mi ha trovato un posto su un volo che parte alle sei da Linate... Non sprechiamo le due ore che ci restano.»

Lasciammo la stanza alle cinque. «Come sto?» chiesi rimirando il costume tirolese nello specchio dell'ascensore.

«Oltre il massimo!»

«Faccio più alpinista o eccentrica accompagnatrice?»

Le portiere dell'ascensore si aprirono prima di avere la risposta. Amleto mi prese per un braccio e mi guidò verso il ricevimento. Percorsi la hall a testa alta, e mi fermai qualche passo dietro di lui aspettando che un impiegato gli preparasse il conto. Il computer fece le bizze e l'attesa si prolungò.

Tutto il personale dietro ai banconi sembrava ignorarmi, ma quell'atteggiamento di signorile distacco era stato preceduto da una reazione inequivocabile, pochi istanti di evidente choc. «Lo racconteranno ai nipoti» dissi orgogliosamente quando fummo fuori.

«Di certo hai lasciato un ricordo indimenticabile» Amleto rincarò, altrettanto orgoglioso.

Il taxi chiamato dal portiere arrivò e Amleto indicò all'autista dove aveva parcheggiato la mia macchina. Percorremmo i duecento metri allacciati sui sedili posteriori. Era venuto il momento di separarci. Amleto scese e, dopo aver aperto la portiera della mia auto, mi abbracciò con lo sguardo ridente. Nemmeno io mi sentivo triste perché quello non era un addio, ma soltanto un inizio. Aspettò che svoltassi l'angolo prima di risalire sul taxi che l'avrebbe portato a Linate.

«Sei proprio tu?» Simona disse al citofono. «Credevo che Amleto ti tenesse legata!»

«Vuoi aprirmi?»

Quando uscii dall'ascensore me la ritrovai davanti. Come mi vide, la sua espressione d'impazienza sparì e sbarrò gli occhi. «Irene, come... da dove viene quel vestito?»

«È un regalo di Amleto.»

«Ti ha scambiato per Sissi l'imperatrice?»

«Ecco che cosa sembro!» esclamai folgorata.

«Sembri una pazza. Ma hai l'aria raggiante» constatò subito.

«Lo sono.»

Mi spinse dentro la porta. «Avanti, entra: adesso devi raccontarmi tutto.»

«Anche i particolari più intimi?»

«Quelli li ho intuiti dalla tua voce languida. Voglio sapere da dove è sbucato Amleto, che cosa ti ha detto, che cosa provi per lui, come ti ha...»

«Vado a togliermi questo vestito e torno.»

Mi guardò di nuovo. «Non è male... Te l'ha regalato per un capodanno in maschera oppure per fare il giochino di Sissi e Cecco Beppe?»

«Niente particolari intimi, avevamo detto.» Sparii nella mia stanza inseguita dalla sua voce: «Sbrigati!».

Cominciammo a parlare alle sei del pomeriggio e alle due di notte non avevo ancora finito di raccontarle tutto.

La sola pausa fu quella della cena: il tempo di preparare due uova strapazzate con una insalata in busta già tagliata e lavata e tornammo in soggiorno. Emanuele si dimostrò più che collaborativo: non soltanto apprezzò il menù ("dovresti farmi più spesso queste deliziose uova") ma si fece carico della piccola Irene dandole la pappa, cambiandola per la notte e facendola addormentare. Alla fine, con grande discrezione, guardò un film nel televisore della cucina e a spettacolo finito venne a darci la buonanotte.

«Adoro Emanuele» dissi a Simona.

«E io no? A tranquillizzarmi non sono state tanto le tue telefonate, quanto quello che Emanuele mi ha detto di Amleto. Fino ai vent'anni sono stati inseparabili, e ancora oggi lo considera uno dei suoi amici più cari. È incredibile quante cose sono riuscita a sapere di lui!!»

Non ne dubitavo affatto. «Per esempio?»

«Vado? Era il ragazzo più popolare del liceo, il suo primo amore si chiamava Luana, è cattolico ma non praticante, la sorella maggiore è morta quando lui aveva tre anni, è contrario all'aborto e al divorzio, non gli piacciono i cani, il suo autore preferito è Mozart, non ha mai messo una maglietta di lana, ha perso interesse per la politica. E c'è un'altra cosa che...»

«Basta così! Sono esterrefatta, lo conosci più di me!»

«Ho avuto tre giorni di tempo per interrogare Emanuele. Ma non ho finito Irene... Da molto tempo ha una relazione con una ragazza che si chiama Giovanna e voleva diventare una diva della lirica. Ma Emanuele *assicura* che non si sarebbe mai rifatto vivo con te se non l'avesse lasciata.»

«È così. Mi ha parlato di lei ancor prima che arrivassimo alla tua festa, mentre eravamo in macchina.»

«Adesso riprendi il racconto. Eravamo rimaste alla mattina di ieri» Simona ordinò.

«Se tu non mi interrompessi ogni minuto con i tuoi commenti e le tue richieste di precisazione, a quest'ora avrei già finito!»

«Ma che gusto ci sarebbe?»

Amleto ottenne di fare soltanto tre settimane di preavviso. Avrebbe iniziato il nuovo lavoro alla clinica Puer il primo febbraio, e durante la settimana intermedia avrebbe cercato un appartamento ammobiliato o un residence dove trasferirsi *provvisoriamente*. Sottolineò quell'avverbio, spiegando che quattro o cinque mesi erano il termine massimo per decidere il nostro futuro e cercare una abitazione definitiva per entrambi.

Amleto mi telefonava al risveglio, a metà mattina, all'ora di pranzo, a metà pomeriggio, prima di andare a dormire. Tornò a Milano per la firma del contratto e Simona lo volle invitare a cena. Quando lui preannunciò che avrebbe approfittato di tutti i giorni liberi per un "voletto" da Roma, lo invitò a dormire a casa sua.

«Dove sta il difetto?» chiedevo, estasiata, a Simona.

«È pignolo, ordinatino, impiccione, prepotente: per il resto è perfetto!»

«Ti ha conquistata dichiarando che la piccola Irene è la bambina più bella e più sana che ha visto» insinuai.

«Voglia il cielo che Amleto non scopra che donna cinica sei» ribatté. Lo aveva promosso in partenza, e soltanto per l'attaccamento che mi dimostrava.

Ma l'affetto vero iniziò quando Amleto, dopo averla accompagnata al Centro, si impegnò a offrire la sua collaborazione di pediatra una volta che si fosse trasferito a Milano.

Fino alla riapertura del mio Poliambulatorio, trascorsi molte notti e quasi tutte le giornate al Centro occupandomi soprattutto di Davide. Un paio di volte incontrai il giudice Verdi: come avevo potuto giudicare negativamente una persona tanto umana e sensibile? Mi vergognai per aver rifiutato sua moglie come paziente, e glielo dissi apertamente: ma né le sue parole di comprensione né l'apprendere che la moglie era ormai completamente ristabilita cancellarono il mio disagio.

Roberto Verdi, straziato quanto tutti noi per la sorte di Davide, aveva continuato a rimandare con mille cavilli il ricovero in istituto, ma ormai quel giorno si avvicinava. La data era stata stabilita, inesorabile e improrogabile: la fine di quel mese.

Il 22 gennaio Amleto lasciò definitivamente Roma e si sistemò nella poltrona letto dello studio di Emanuele in attesa di trovare il residence o l'appartamentino. Simona organizzò una cenetta per festeggiare l'evento, ma quando cominciò a parlare di Davide ogni traccia di gioia sparì.

«È possibile che *nessuno* possa fare qualcosa per lui?» chiesi affranta.

«Purtroppo non è un cane» Amleto disse cupamente.

«Con tutto il rispetto per gli animali, se ci si occupasse dei bambini abbandonati o maltrattati con lo stesso fervore e la stessa indignazione che suscita la sorte dei cani, dei gatti o della foca monaca, esisterebbero pochi casi come quello di Davide.»

Fu a quel punto che vidi il viso tetro di Simona animarsi e scorsi nel suo sguardo un'improvvisa luce. Si rivolse al marito. «Emanuele, non ho fatto che pensarci.»

«Anch'io.»

Trattenni il fiato aspettando che proseguissero, ma intervenne Amleto. «Sapete che cosa vi aspetterebbe?» Aveva capito anche lui.

Emanuele fu il primo a rispondere. «Io sì. Ma volevo che fosse mia moglie a parlarne, perché aspetta un secondo figlio e perché la responsabilità e le cure di Davide ricadrebbero soprattutto su di lei.»

«Basta con questi condizionali!» Simona proruppe. «Ogni volta che guardo la piccola Irene, ogni volta che penso al bambino che arriverà provo una stretta al cuore per Davide. So bene *tutto* quello che mi aspetta, e che aspetterà Emanuele e i bambini, ma voglio occuparmi di lui, dargli una famiglia. Non lo faccio per riparare alle violenze che ha subito, ma perché ormai lo amo. Lo sai?» disse rivolgendosi a Emanuele. «Ieri *mi ha sorriso!*»

«L'argomento è chiuso. Domattina chiederemo ufficialmente che Davide ci sia affidato e, appena possibile, dato in adozione» Emanuele disse quasi burbero. Mi accorsi che aveva gli occhi lucidi. Tutti avevamo gli occhi lucidi.

XIX

Quella notte, quando tutti i rumori della casa tacquero, raggiunsi Amleto in punta di piedi.

«Mi hai preceduto di un istante» sussurrò spostandosi per farmi un piccolo posto sulla poltrona letto.

«Penso a Simona e a Emanuele... Anche se non sono sposata, ho la certezza che il giudice Verdi avrebbe trovato ugualmente il modo di darmi Davide pur di non farlo finire in un istituto. Bastava chiederglielo. Ci ho pensato tanto anch'io, sai? Ma alla fine mi è mancato il coraggio di farlo.»

«Soltanto perché per te, come per me, prendere Davide equivaleva a un atto eroico.»

«Ho già sentito una spiegazione simile. Per caso hai parlato con Antonia Pozzi?»

«Molto a lungo! Se posso farti una confidenza, lei era *sicura* che Simona e il marito sarebbero arrivati a questa decisione. Aspettava che riflettessero. E più tempo passava, più si rassicurava sul futuro di Davide. Per i nostri amici crescerlo come un figlio non è stato un colpo d'audacia o una decisione eroica... Ci sono arrivati da persone sensate, quando si sono sentiti pronti. Come dovrebbero fare tutte le coppie prima di mettere al mondo un essere umano...»

«Sono belle parole, ma io mi sento lo stesso una vigliacca. Qualche anno fa non avrei esitato un istante.»

«Fortunatamente non hai più l'incoscienza di allora.»

«Forse è la storia con Tommaso che ha lasciato il segno.»

«Non dirlo nemmeno per scherzo.» Cambiò subito discorso. «Simona può assumersi questa responsabilità perché ha scelto di fare la madre di famiglia a tempo pieno, mentre tu avresti dovuto rivoluzionare la tua vita.»

«Forse se avessi un figlio lascerei tutto come ha fatto lei.»

«Simona aveva un posto da impiegata, tu hai un lavoro che ami. Lasciare tutto sarebbe una scelta molto più difficile.»

«Ti dispiacerebbe se continuassi a…»

«Irene, molte donne riescono a conciliare lavoro e famiglia. Mi dispiacerebbe solo se facessi qualcosa che non vuoi o che non senti solamente per compiacermi.»

«Però hai lasciato una donna che amavi perché era troppo ambiziosa.»

«È stata una delle moltissime ragioni, e nemmeno la più importante. Adesso mi chiederai: "Qual è stata la più importante?"».

«Aspetto la risposta.»

«L'ho lasciata dopo avere incontrato te. La passione era già finita, e ho capito che non c'era stato altro a legarci.»

«E per me provi *passione*? Oppure sono la donna giusta e basta?»

«Finalmente una bella domanda: provo *troppa* passione per capire se sei la donna giusta!»

Avrei dovuto sentirmi felice per quella dichiarazione? Amleto mi strinse tra le braccia senza permettermi di riflettere.

Alle sei e mezzo mi alzai silenziosamente per ritornare nella mia stanza. Anche Simona si era appena alzata, e ci incrociammo nel corridoio. «Se Amleto verrà a dormire da te, sicuramente starete più comodi» fu il suo commento.

Mi confessò che lei ed Emanuele avevano parlato tutta la notte di Davide e di come organizzarsi. Era molto emozionata all'idea di incontrare il giudice Verdi e per questo avevano deciso che preferivano parlare prima con Antonia Pozzi, affinché fosse lei a chiedere un appuntamento e ad anticipargli la loro decisione. Sarebbero andati al Centro alle nove.

Tranquillizzai Simona riferendole quello che Amleto mi aveva detto la sera prima. E aggiunsi che secondo me non soltanto Antonia, ma anche il giudice Verdi si aspettava la loro richiesta di affido.

Andammo a finire la nostra conversazione in cucina, davanti a una tazza di caffè. La speranza di Simona era adesso che il giudice le consentisse di prendere Davide al più presto, senza dover attendere che le normali procedure dell'affido andassero in porto.

Mi dispiacque non poter accompagnare al Centro lei ed Emanuele: purtroppo il Poliambulatorio aveva riaperto da pochi giorni e non potevo chiedere di rinviare gli appuntamenti già fissati da tempo.

Il pensiero del lavoro mi fece scattare come una molla: erano le sette e mezzo, dovevo correre a prepararmi. Amleto entrò in cucina nel momento in cui io ne uscivo, e dalla mia stanza li udii chiacchierare animatamente. Poco dopo, alle loro voci si unì quella di Emanuele.

Quando andai a salutarli, Amleto mi chiese di esprimere un parere obiettivo: non mi sembrava che quella casa fosse diventata troppo affollata? Era *sensato* oppure *offensivo* che lui approfittasse dei pochi giorni che gli restavano prima di iniziare il nuovo lavoro per cercare un'altra sistemazione?

Simona non mi lasciò parlare. «È sensato solamente se vuole stare più comodo! Ma lui nega, dice che qui si sente come a casa sua! A questo punto è *offensivo* che se ne vada pensando di *disturbare*!» strillò.

Amleto mi guardò aspettando che dicessi la mia. Scossi allegramente la testa. «Non chiedermi di tenere testa alla logica di Simona: ha sempre avuto l'abilità di fare apparire il suo punto di vista una verità incontestabile: con le parole riuscirebbe a convincerci che adesso è mezzanotte!»

«È raro, anzi, *rarissimo*, che io sbagli» Simona disse sostenuta.

Toccò a Emanuele dirimere la controversia. «Aspettiamo che Davide sia con noi: se capiremo che siamo davvero troppi, Amleto potrà andarsene senza offendere nessuno.»

«Mi sembra la soluzione più sensata» dissi. E andai.

Simona mi chiamò alle undici: era fatta! Stavano recandosi con Antonia dal giudice Verdi per avviare la pratica dell'affido, ma *sicuramente*, entro tre o quattro giorni avrebbero potuto portare Davide a casa.

All'una mi telefonò Amleto: aveva invitato a colazione Antonia e nel pomeriggio si sarebbe fermato al Centro con lei per visitare alcuni bambini che non stavano bene e per controllare le scorte di medicinali: quelli che mancavano, li avrebbe procurati lui.

Alle otto, quando tornai a casa, trovai Davide. Era in cucina, accucciato nel piccolo spazio tra il frigorifero e la madia. Succhiava furiosamente il ciucciotto, e ogni volta che Simona ed Emanuele si curvavano verso di lui, chiamandolo dolcemente per nome e allungando le braccia, si ritraeva spaventato.

Mi avvicinai ad Amleto: «Che cosa è successo?».

Mi posò un braccio attorno alle spalle. «Ha la bronchite» sussurrò «e non riusciamo a fargli prendere l'antibiotico. Dovremo aprirgli la bocca con la forza.»

«Ci provo io» dissi sciogliendomi dal suo abbraccio. In quell'ultimo periodo ero stata molto vicina a Davide, più di Simona, e alcune volte ero riuscita a comunicare con lui. Come aveva detto Antonia, sembrava davvero regredito allo stadio di un bambino di due anni: ma io, pur non essendo una psicologa, avevo il sospetto che Davide avesse la *consapevolezza* dei suoi comportamenti e che fosse *scientemente* ritornato a quell'età per rivivere una prima infanzia che non aveva avuto, per cancellare il ricordo dell'abbandono e delle violenze che aveva subito. *Voleva* le coccole, i baci, il succhiotto, le cantilene, le parole storpiate, le smorfie buffe: essere trattato da piccolo ometto ragionevole lo spaventava.

«Lasciate fare a me» dissi a Simona e ad Emanuele. Mi accovacciai davanti al lavello e improvvisai un gioco: tutti gli animali del cielo e della terra volevano prendere il bimbo Davide perché gli volevano bene, ma non riuscivano perché la foca Irene gli voleva più bene di loro e non intendeva lasciarlo portare via.

Richiamando la sua attenzione, cominciai a fare l'imitazione del cane, del gatto, dell'aquila, della balena, dell'orso: ma ogni volta che facevano per prenderlo li scacciavo imitando la foca Irene e gridando con un grosso vocione: «Questo bambino è solo mio, e non ve lo darò mai!». Intanto scrutavo il suo viso. Aveva smesso di succhiare e mi guardava con attenzione. Subito dopo aver scacciato l'ultimo animale, la volpe, mi avvicinai a Davide e dissi in fretta: «Attaccati alle mie braccia, forza, sennò adesso ritorna l'aquila!».

Davide si sporse verso di me allungando le manine verso le mie braccia. «*Sì, sì, scappiamo, vojo stale qui!*» disse eccitato. Lo sollevai da terra e lo feci ballare. Feci un cenno d'intesa a Simona perché mi desse l'antibiotico. Simona, come in trance, versò lo sciroppo nel cucchiaino dosatore e senza farsi vedere da Davide me lo porse.

Smisi di ballare. «Adesso dobbiamo bere la crema magica» dissi a Davide. «Se la bevi con la bocca aperta e gli occhi chiusi, avrai in premio un bacione della tua amica foca!»

Davide strizzò gli occhi: «Così?» chiese.

«Sì, così va bene. Però devi spalancare anche la bocca!»
Non appena la aprì, gli infilai il cucchiaino in bocca.

«Ma come ti è venuto in mente questo gioco?» Simona chiese ammirata.

«Sei stata straordinaria... Perfetta!» esclamò Emanuele.

Amleto fece una smorfia. «Poteva fare di meglio: la foca non ha le braccia!»

Più tardi, mentre Emanuele si curava della piccola Irene e Simona faceva addormentare Davide fingendo di essere foca Ninnananna sorella della foca Irene, Amleto mi raccontò perché Davide aveva potuto lasciare il Centro quel giorno stesso.

Stava male, continuava a dondolarsi seduto sul letto, respingendo chiunque si avvicinava. I volontari non sapevano più che cosa fare, e le due ragazze della notte erano molto preoccupate all'idea di doversi assumere la responsabilità del bambino. A quel punto Amleto aveva telefonato al giudice Verdi per spiegargli come stavano le cose e chiedergli se non era possibile portare Davide quel giorno stesso nella nuova casa.

Dopo la telefonata, Verdi era andato al Centro per rendersi personalmente conto della situazione e dieci minuti gli erano bastati per autorizzare il trasferimento. Alle cinque del pomeriggio Emanuele e Simona avevano già il bambino: nell'attesa di ottenerne l'affidamento ufficiale, risultavano come una delle tante coppie che collaboravano col Centro curandosi dei piccoli e ospitandone alcuni per una intera giornata o i fine settimana. Ma il giudice si era impegnato a risolvere entro pochi giorni la situazione, riconoscendo a Emanuele e Simona il ruolo di genitori affidatari con espressa volontà di adozione.

La casa "troppo affollata"? Tre giorni dopo mi resi conto che quattro persone adulte, tre delle quali disponibili soltanto durante la pausa del pranzo e nel tardo pomeriggio, erano appena sufficienti per condividere l'impegno del recupero di Davide.

Solamente il contatto quotidiano con lui ci permise di capire quanto profondamente la sua piccola vita fosse stata devastata. Superata l'iniziale selvatichezza, voleva sempre essere tenuto in braccio e alla sera si addormentava solamente se aveva qualcuno di noi a cui aggrapparsi. Il suo sonno era agitato e leggero, e di tanto in tanto si svegliava urlando. Durante la giornata anche la cosa più semplice, come fargli bere una spremuta di arancia, diventava una conquista: diventammo tutti e quattro giocolieri, pagliacci, imitatori.

Era gelosissimo della piccola Irene e la sua sola vista gli causava uno stato di sofferenza e di paura che esprimeva piangendo o picchiando la testa contro il muro. Era evidente che vedeva in lei l'usurpatrice. Fu Simona, stavolta, a avere l'intuizione: «Vuole che lo trattiamo come lei!».

Comperò un altro seggiolone, un altro infant sit e il problema di farlo mangiare venne provvisoriamente ma totalmente risolto ricorrendo al biberon: Emanuele praticò al succhiotto un foro grande come una nocciola e grazie a questo marchingegno riuscimmo a fargli divorare minestrine, latte, spremute a cui Simona aggiungeva carne frullata, formaggi fusi, miele, biscotti, pastina. In una settimana Davide recuperò un chilo di peso e sul suo visetto magro e pallido comparvero un po' di colorito e qualche segno di rotondità infantile.

Amleto comperò un passeggino doppio, per gemelli, e questo rese più facile convincerlo a uscire, cosa che per lui equivaleva a un terrorizzante distacco da un ambiente che cominciava ad essergli famigliare.

E non soltanto: mangiando come Irene, uscendo nello stesso passeggino di Irene, stando seduto al fianco di Irene, anche la sorellina diventò per lui una presenza famigliare e, da un giorno all'altro, smise di essere geloso di lei. Simona, per quanto esausta, rifiutò energicamente l'offerta di un sostegno e spiegò ad Antonia che una persona estranea avrebbe rischiato di disturbare e confondere Davide nel suo lento ambientarsi. La sua famiglia eravamo noi quattro, e i genitori di Simona ed Emanuele si rendevano utili portando qualche giorno o qualche domenica Irene a casa loro.

Non soltanto era la bambina "più sana e più bella del mondo", come Amleto l'aveva definita, ma rivelò precocemente una natura dolce e serena: benché trascurata, non piangeva mai e agitava felicemente le braccine quando Davide si avvicinava.

Io riuscii a organizzarmi in modo da avere un giorno infrasettimanale libero e consentire a Simona di uscire, andare dal parrucchiere, avere qualche ora per sé.

Antonia Pozzi approfittava di tutti i momenti liberi per fare una scappata a casa di Simona. Erano le visite di un'amica, fatte al solo scopo di dimostrare che ci era vicina. Antonia non riusciva a capacitarsi che in così breve tempo Davide avesse fatto tanti progressi: fisicamente aveva ormai l'aspetto di un bambino normale.

«È soltanto l'aspetto!» sottolineava Simona. Sottintendendo che a quattro anni nessun bambino normale storpia le parole, mangia col biberon, vuole stare sempre in braccio, comincia appena a camminare liberamente per la casa.

Simona l'incontentabile, Antonia la definiva. Un pomeriggio portò con sé il dottor Verdi. Era uno dei giorni in cui Irene era dai nonni, Simona fuori casa e io sola con Davide: così fui la prima a sapere che la mia amica e il marito erano diventati, ufficialmente, i suoi genitori affidatari.

Il giudice, che non vedeva il bambino da quando aveva lasciato il Centro, stentò quasi a riconoscerlo. «Non avevo alcun dubbio sulle capacità e sulle doti umane di Emanuele e Simona, ma quello che sono riusciti a fare è sorprendente» mormorò.

Antonia mi indicò. «Senza l'aiuto di Irene e del suo uomo questo miracolo non sarebbe potuto avvenire!»

«Amleto è il mio fidanzato» precisai avvampando.

«A quanto pare non ha ancora smesso di considerarmi un giudice puritano e...»

«Questo non è vero! Gliel'ho detto soltanto perché non vorrei che si creassero i problemi e gli equivoci di un tempo.» Era la prima volta che pensavo a Tommaso.

«È ancora peggio» il dottor Verdi osservò con amarezza. «In pratica, mi sta dando dell'imbecille.»

«Lei è una persona eccezionale!» protestai. «Imbecille sono stata io per averlo capito troppo tardi.»

«E allora perché si fa dei problemi che non esistono?»

«Perché...» Lo guardai in faccia. «Io e Amleto dormiamo insieme, nel letto matrimoniale della camera degli ospiti, e facciamo a turno con Simona ed Emanuele per tenere il bambino... Davide si addormenta soltanto se sta in mezzo a...» Mi interruppi imbarazzata. «Forse questo non è legale.»

Il giudice scoppiò a ridere. «Irene, che idea si è fatta della legge? Ho conosciuto Amleto e abbiamo parlato a lungo. Anche di lei e dei problemi di Davide: sapevo dei vostri turni per farlo dormire, e ritengo Emanuele e Simona molto fortunati per avere trovato due amici come voi.»

«Mi scusi.»

«Lei deve smetterla di stare sulle difensive» replicò in tono quasi paterno. «Anche Amleto è fortunato per averla incontrata.»

«Gliel'ha detto lui?»

«Non in questi termini. Ma parla del vostro rapporto con tale entusiasmo che è facile desumerlo.»

«Sono sulle difensive solamente con lei» sentii il bisogno di confessargli.

«Perché sono un giudice?»

«Non lo so. Forse perché in passato sono stata costretta a difendermi...»

«E io a ferirla.»

«Questo ormai l'ho superato... dimenticato. Per me sono stati anni molto tristi.» Alzai la testa e lo guardai negli occhi. «Ma posso pensare al passato senza soffrirne più.»

Era vero. Per la seconda volta in pochi minuti avevo ricordato Tommaso, ed era stato come evocare un estraneo, un fantasma. Quella sera, quando fummo a tavola, Simona volle sapere *tutti* i particolari della visita di Antonia e del giudice.

Alla fine, mi rivolsi ad Amleto. «Non sapevo che tu conoscessi tanto bene il giudice Verdi!»

«Ci siamo incontrati soltanto due volte, ma abbiamo simpatizzato subito.»

Dal particolareggiato racconto avevo volontariamente omesso i commenti di Verdi sulla mia persona e il nostro rapporto. Glieli dissi più tardi, a letto, parlando a bassa voce per non svegliare Davide.

Amleto sollevò una mano e raggiunse la mia. «Verdi ha ragione solo in parte, perché incontrare la foca Irene è stata più che una fortuna, un miracolo.»

Fece per avvicinarsi spostando delicatamente il corpo di Davide. E fu in quel momento che avvenne il miracolo vero. Davide si sollevò sul busto come una molla e disse: «La foca Irene è mia!». La sua prima frase da piccolo ometto geloso, senza storpiature e con un intimidatorio senso compiuto.

XX

Alla fine di marzo una psicologa del Tribunale minorile si inserì nella nostra squadra per dare un supporto professionale al recupero di Davide. Si chiamava Livia De Zan ed era una signora sulla cinquantina dai modi miti e la semplicità disarmante: bastò un colloquio con lei per fare crollare la diffidenza di Simona, persuasa che nessuno meglio di noi potesse conoscere le necessità di Davide e comprendere le sue dinamiche mentali. Sbagliava, come noi tutti.

Livia avallò, sia pure con qualche piccola riserva, la mia convinzione che Davide volesse ricostruirsi un'infanzia negata; espresse con calore l'apprezzamento per i risultati che avevamo ottenuto; complimentò con inequivocabile sincerità tutte le intuizioni che, d'istinto, ci avevano ispirato i comportamenti giusti.

Ma con altrettanta franchezza ci disse che arrivati a quel punto occorreva modificare questi comportamenti: stavamo assecondando in modo eccessivo le infantili richieste di Davide. Il bambino, era innegabile, appariva più sicuro, più fiducioso, più estroverso, e sicuramente col trascorrere del tempo sarebbe ulteriormente migliorato. L'insidia stava proprio in questo. Non trasmettevamo a Davide alcuno stimolo per abbandonare un'infanzia ritrovata e, addirittura, gli trasmettevamo involontariamente il messaggio opposto: se cresci, perderai le coccole, i giochi, la foca Irene e le favole.

A quel punto, bisognava ricondurlo ai suoi quattro anni invitandolo a pronunciare bene le parole, smettendo di compiacerlo in tutto, insegnandogli altri giochi, investendolo delle prime responsabilità. Tutto questo avrebbe dovuto avvenire gradatamente, facendo in modo che neppure per un istante Davide dubitasse del nostro amore o temesse di aver perduto qualcosa. Al contrario. Il nuovo messaggio, forte e chiaro, doveva essere: hai visto com'è bello crescere?

L'incontro con la psicologa segnò l'inizio del vero recupero di Davide. Dalla fine di marzo sino all'inizio dell'estate fu come essere in guerra: ogni giorno una battaglia contro un piccolo essere che sferrava attacchi durissimi per respingere la nostra "invasione" o che difendeva strenuamente le posizioni conquistate.

Ma furono anche giorni di piccole, esaltanti vittorie. Vi fu quello in cui Davide mangiò la prima minestrina senza biberon; o per la prima volta disse *scappa pipì, bagno*; o riuscì a incastrare in modo giusto quattro pezzi del Lego; o tirò un calcio al pallone mentre era ai giardinetti.

Simona e Emanuele, io e Amleto eravamo un fronte unito. Una squadra, appunto. Le nostre settimane erano diventate un continuo correre, pianificare, discutere strategie, rinviare appuntamenti, chiedere permessi: ma non ci sentimmo mai sfiduciati, mai stanchi.

La prima, gioiosa disfatta di Davide, fu prendere possesso del suo lettino nella stanza della piccola Irene. «La tua sorellina non vuole più dormire senza di te» gli dicemmo per convincerlo.

E Davide, prima di entrare nel suo lettino, si inginocchiava davanti alla sua culla per accertarsi che la sorellina fosse addormentata.

Per me e Amleto fu la riconquista di una intimità perduta. Finalmente potevamo fare l'amore, chiacchierare, addormentarci stretti l'uno all'altra, risvegliarci, fare ancora l'amore.

«Purtroppo la passione per te continua a ottenebrarmi» scherzò una volta. «Ieri una mamma è venuta nel mio studio con il suo bambino e, mentre lo spogliava, mi ha spiegato tutti i disturbi che aveva. Ho dovuto farmi ripetere tutto perché stavo pensando a te. Qualche altra volta mi accorgo di ridere da solo perché mi è venuta in mente una delle tue battute!»

Come per un tacito accordo, non avevamo più parlato del nostro futuro né ci eravamo più posti scadenze. Davide veniva al di sopra di tutto. E anche se era stato affidato a Simona ed Emanuele, ci sentivamo responsabili e coinvolti quanto loro. La nostra presenza in quella casa era indispensabile perché faceva parte dell'esigenza di una disponibilità totale, di una suddivisione di turni e di orari calcolata alla mezz'ora.

Squadra vincente non si cambia: il detto valeva più che mai per la guerra che stavamo combattendo. Ci sentivamo responsabili anche nei confronti dei nostri più cari amici perché sapevamo che la loro forza, come la nostra, derivava dal sentirsi *giorno e notte* in quattro.

Ce lo disse anche Antonia Pozzi, durante una delle sue frequenti visite. «Dopo aver seguito tanto da vicino il recupero di Davide, il mio giudizio per le coppie che l'hanno restituito è diventato meno feroce: è umanamente difficile reggere se non si ha qualcuno a cui potersi aggrappare. Nel vostro caso, è come se Davide avesse due padri e due madri.»

Anche Livia De Zan fu un prezioso supporto. Prima di conoscerla ritenevo che la psicologia si riducesse, stringi stringi, a una rielaborazione scientifica del buonsenso. Ancora una volta capii di aver sbagliato. Cose che sembravano ovvie, intuizioni che apparivano scontate, comportamenti che credevamo impeccabili, ci venivano via via commentati da Livia in un'ottica assolutamente inattesa. Grazie a lei, capimmo che in alcune situazioni i comportamenti migliori potevano addirittura sembrare in contrasto con il buonsenso.

Gli incontri di Livia con Davide avvenivano quasi sempre alla presenza di uno di noi: era riuscita a vincere la sua diffidenza proponendosi come una nostra amica, conversando con noi, facendogli lentamente assimilare la certezza che, come noi, anche lui poteva fidarsi di lei. Per dimostrargli il rapporto di amicizia e di confidenza con la sua famiglia, si era sempre rivolta a me chiamandomi foca Irene: foca Irene, mi daresti un bicchier d'acqua? Foca Irene, che ore sono? Foca Irene, come va il tuo lavoro?

Una mattina Davide alzò gli occhi su Livia guardandola con una espressione quasi di sufficienza: «Lei non è una foca, è la zia Irene!» disse indicandomi. Era il 20 maggio, una data che per noi sarebbe diventata come quella della scoperta dell'America: Davide aveva concluso il recupero della primissima infanzia e aveva riannodato il filo con i suoi quattro anni e mezzo anagrafici.

Una settimana dopo Livia ci disse che la squadra doveva sciogliersi. «Davide darà ancora molti problemi perché non potete illudervi di aver cancellato i suoi primi quattro anni» ci spiegò, «ma Emanuele e Simona sono in grado di farsene carico da soli. In settembre il bambino andrà all'asilo e dovrà imparare a socializzare con il mondo esterno, a confrontarsi con i suoi coetanei. Insomma, vivere la normale esistenza di un piccolo della sua età. Davide adesso deve inserirsi nella sua famiglia e avere come punti di riferimento il padre e la madre.»

Mi rivolse un sorriso. «Quattro genitori lo confonderebbero, lo farebbero sentire iperprotetto… Non voglio certamente dire che tu e Amleto dovete sparire: anzi, è essenziale che continui a sentirvi come presenze affettive importanti. Ma non nella stessa casa, non come un padre e una madre alternativi.»

Come non essere d'accordo? Livia aggiunse che una

vacanza al mare con i genitori e la sorellina era l'accorgimento migliore per prepararlo al distacco: distratto dalla nuova esperienza e interrotto il rapporto di quotidianità con noi, sarebbe tornato a casa in qualche modo già disabituato a non vederci tutti i giorni e, soprattutto, senza più associare le sue sicurezze a una famiglia allargata.

«È un'ottima idea!» approvò Simona.

«C'è un solo problema» le fece notare quietamente Emanuele. «Stai per entrare nel settimo mese di gravidanza.»

«Innanzitutto mi mancano due settimane per terminare il sesto mese, e poi una vacanza al mare farà bene anche a me. Servita e riverita, con un marito medico tutto per me: dove potrei stare meglio?»

Simona aveva trascorso quei mesi senza mai fermarsi, mai lamentarsi, mai accusare un disturbo, al punto che talvolta quasi dimenticavamo che fosse incinta. Persino l'amica psicologa parve accorgersene solo in quel momento, perché fissò Emanuele con una espressione mortificata, quasi a scusarsi per aver sollevato incautamente quel problema.

Ma Emanuele trovò subito la soluzione di compromesso: «Cercherò un sostituto e partiremo al massimo tra una settimana. Il parto è previsto per la metà di agosto, e per la fine di giugno voglio che tu sia a casa, vicina all'ospedale e al tuo ginecologo».

«Mi sta benissimo!» disse Simona.

«Un'altra cosa: niente isole, niente viaggi lunghi. Dovrai accontentarti della località di mare più vicina.»

«Gatteo Mare, sull'Adriatico!» Simona esclamò eccitata.

«E magari alla pensione Adelina» aggiunsi.

Poiché Emanuele e Livia ci guardavano perplessi, mi affrettai a spiegare: «Simona sta per rivivere un sogno: quando eravamo bambine, al ritorno dalle mie vacanze avventura raccontavo a Simona tutte le prodezze che avevo fatto, tutte le meraviglie che avevo visto. E lei mi fissava quasi con compatimento: sì, sì, forse mi ero divertita, ma la pensione Adelina di Gatteo Mare era un'altra cosa. *Il massimo*».

«Avevo forse torto?» Simona rise. «Mentre tu scarpinavi per rocce e parchi esotici oppure facevi dei solitari bagni nella piscina di qualche lussuoso hotel sperduto in un'isola selvaggia, io me la spassavo con un mucchio di ragazzini nuotando, correndo, giocando... E che dire del giardinetto della pensione Adelina? C'era un enorme dondolo, ed era un gioco anche correre a occupare un posto!»

«Adesso posso confessarlo: in quegli anni mi struggevo di invidia per te. Pensavo alla pensione Adelina come a qualcosa di fantastico, mitico, irraggiungibile!»

Livia sorrise. «Se esiste ancora, credo che per Davide non si potrebbe trovare un posto migliore.»

Dopo che se ne fu andata ci ritrovammo improvvisamente silenziosi. La piccola discussione sulla vacanza e i ricordi d'infanzia ci avevano distolto soltanto per poco dalla consapevolezza del doloroso distacco. La squadra doveva sciogliersi. Avevamo vinto la guerra, e adesso ci aspettava il ritorno a casa e alla quotidianità. *Quale casa?* Né io né Amleto ne avevamo una.

La mitica pensione esisteva ancora, gestita adesso dal figlio e dalla nuora di Adelina, e aveva aperto alla metà di maggio. Simona lo appurò con una telefonata e prenotò due stanze comunicanti per due settimane, a partire dal 7 giugno.

Emanuele fissò di persona un appuntamento con il ginecologo: prima di allontanarsi da Milano voleva essere certo che la gravidanza di Simona proseguisse senza problemi e che, a due mesi dal parto, potesse affrontare senza rischi sia il viaggio in macchina sia quella vacanza al mare senza ulteriori controlli.

Fu con Simona che affrontai il problema della casa. Durante il soggiorno a Gatteo lei ed Emanuele ci avrebbero lasciato le chiavi del loro appartamento, e avevamo perciò il tempo sufficiente per trovare una sistemazione provvisoria. Nella peggiore delle ipotesi, anche in un albergo.

Amleto aveva accennato a un miniappartamento che si era appena liberato nella foresteria della sua clinica. Ve ne erano quattro, messi a disposizione dei medici che risiedevano fuori Milano o non avevano ancora trovato casa. Intendeva eventualmente stabilirvisi da solo oppure con me? Lo stesso interrogativo valeva per un residence o un bilocale arredato.

«Quello che non ho chiaro, è proprio il significato logistico di sistemazione provvisoria» confidai a Simona. «Provvisoriamente separati o insieme?»

«Che cosa aspetti a chiederglielo?»

«Preferisco che sia lui a parlarne... Insomma, non vorrei apparirgli quella che mette fretta o pone aut aut!»

«Dopo questi ultimi mesi, escludo che Amleto possa equivocare. Ti ha visto in tutte le situazioni, di giorno e di notte, nel meglio e nel peggio...»

«E lo stesso vale per me! Ma per quanto riguarda il nostro futuro siamo rimasti all'onesto discorso fatto agli inizi: il matrimonio è per sempre e dobbiamo avere la certezza di non confondere l'attrazione, il desiderio, lo stare bene insieme per un sentimento duraturo e *vero*. In questi mesi ci siamo conosciuti come *persone*, ma non come coppia.»

«Irene, stai diventando di nuovo complicata.»

«Tutt'altro. Tempo fa ho ripensato a Tommaso e ho capito di aver fatto un bilancio troppo superficiale dei nostri quattro anni. Ci siamo *amati*, tra noi non c'era soltanto attrazione o passione. Ma questo non è bastato per tenerci insieme.»

«Tra Tommaso e Amleto c'è un abisso!» Simona protestò.

«Amleto è una persona al di là di ogni confronto, come lo è il sentimento che provo per lui. *Mai* ho amato o potrei amare così un altro uomo. Ma non gliel'ho mai detto perché mi sembrerebbe di *costringerlo* a dire la stessa cosa. Io sono pronta per sposarlo, ma Amleto non me l'ha ancora chiesto e non voglio mettergli fretta, non voglio forzargli la mano. Ti sembro così complicata?»

«Se hai dei dubbi sui suoi sentimenti, mi sembri scema.»

XXI

Alla fine della mia vita, dieci secondi sarebbero bastati per riassumere quella che allora, poco più che trenten-
ne, vissi come la sconfitta più devastante della mia vita.
*Credevo di essere incinta, invece avevo un carcinoma ormai
diffuso al corpo dell'utero e una isterectomia radicale mi
tolse per sempre la possibilità di avere un figlio.*

Il 3 giugno accompagnai Simona dal ginecologo per la
visita di controllo: la gravidanza procedeva benissimo e
poteva partire senza alcun problema per le vacanze. Il
parto era previsto per la metà di agosto, ma il ginecologo
tranquillizzò ancora una volta Simona: avendo program-
mato le ferie per settembre, in quei giorni sarebbe stato
sempre reperibile in ospedale o sul cellulare.

Fu mentre parlavano di date che avvertii quella fitta
di inquietudine e di allarme causata dalla improvvisa coscienza di qualcosa di sgradevole che dovresti fare o affrontare, ma che la mente rifiuta di ricordare.

Il ciclo! Mi sentii mancare. Da parecchi mesi avevo un
mestruo irregolare e brevissimo, e in maggio era saltato
anche quello.

Dodici giorni di ritardo, non mi era mai successo. *Sei
sicuramente incinta.* Lo stomaco si strinse in una morsa di
panico: era possibile, perché durante il periodo di forzata

castità avevo smesso per due mesi di prendere la pillola anticoncezionale. Ma era anche possibile che quel ritardo fosse causato, come le irregolarità, dalla stanchezza e dallo stato di continua tensione emotiva in cui tutti in quegli ultimi mesi avevamo vissuto.

Ero nello studio di un ginecologo, e la cosa più sensata sarebbe stata accennare ai miei disturbi e fissare un appuntamento per una visita. Ma mi rifiutai di farlo. Non volevo coinvolgere Simona nei miei problemi, dopo tutti quelli che già aveva affrontato, e per di più a pochi giorni da una vacanza che si profilava psicologicamente tutt'altro che rilassante per lei.

Decisi così di aspettare che fosse partita prima di accertare la causa del ritardo. Cinque giorni di tempo servivano anche a me. Stavo vivendo una delle rare situazioni in cui il dubbio era più sopportabile della certezza e mi consentiva di proiettarmi in quella gravidanza a sorpresa esaminandola come un'ipotesi: *se fossi* incinta quale sarebbe la reazione di Amleto? Si *sentirebbe* pronto per sposarmi subito oppure un figlio gli *forzerebbe* la mano?

Il condizionale attutiva l'impatto con gli interrogativi, le decisioni, le urgenze della realtà.

Avere un figlio da Amleto andava oltre il desiderio di maternità che per anni avevo cercato di reprimere: era parte integrante del nostro futuro e della famiglia che volevamo costruire. Ma una gravidanza per sbaglio ci avrebbe privati della solennità di una decisione, della felice consapevolezza del concepimento. Il figlio stesso, ridotto a una sorpresa, sarebbe stato sminuito nella dignità del suo ingresso nella vita.

Ma quel giorno stesso accadde qualcosa che ebbe su di me l'effetto di una folgorazione: ero a piedi, ferma davanti a un semaforo nell'attesa di attraversare, quando scorsi Tommaso all'altro lato della strada. Teneva un braccio attorno alle spalle di Monica.

Distolsi subito lo sguardo, con lo stesso imbarazzo che avrei provato nel rivedere un vecchio vicino di casa rissoso, o un insegnante che mi avesse bocciato. Quando arrivò il verde, per evitare di incrociarli restai ferma sul marciapiede fingendo di cercare qualcosa nella borsetta.

La speranza che anche loro fingessero di non vedermi svanì non appena mi passarono accanto. Fu Monica a fermarsi. «Ciao!» disse con voce gaia, trattenendo Tommaso per un braccio.

Sollevai la testa dalla borsetta e rivolsi a entrambi un cenno di saluto, con un "ciao" che voleva essere anche un commiato.

Ma Monica non mi permise di allontanarmi. «Ti trovo bene, Irene.»

«Vogliamo andare?» La voce fredda di Tommaso, con una nota di rancore che mi stupì. Possibile che mi detestasse ancora?

«Incamminati, ti raggiungo subito» Monica disse. Lo seguì con lo sguardo e tornò a rivolgersi a me. «Mi dispiace per quello che è successo, ma la mia storia con Tommaso non era un capriccio.»

Il suo viso non esprimeva il minimo segno di questo dispiacere. Feci un gesto vago, come a dire che non importava, che era una storia passata.

«Adesso io e Tommaso stiamo insieme» proseguì. «Tre mesi fa ha lasciato l'agenzia e ha ricominciato a dipingere. Lo sapevi?»

Feci di no con la testa. Dopo la separazione, non avevo più visto né sentito i colleghi di Tommaso: soltanto Amalia, la moglie del presidente, mi aveva fatto una breve telefonata per dire quanto fosse sorpresa per la nostra separazione. Poi era sparita anche lei.

«Sono diventata socia della galleria» spiegò Monica «e la prossima settimana Tommaso farà una personale di tutti i suoi nuovi quadri.»

«Vi faccio tanti auguri. Adesso devo andare, scusami.»

«Un momento.» Infilò una mano nella borsetta e ne estrasse il catalogo della mostra. «Dacci un'occhiata... E non volermene!»

Fu ciò che più tardi feci, prima di gettarlo via: sfogliando quel catalogo vidi l'immagine di opere banali, frettolose, evidentemente dipinte su commissione. Il talento di Tommaso, frustrato da Benedicta, era stato definitivamente sepolto da un'altra donna capace di manipolarlo. Il suo vero talento era, evidentemente, la coazione a ripetere scelte masochistiche.

Mentre buttavo il catalogo nel cestino della carta straccia mi sentii come una miracolata: ero riuscita a mettermi in salvo. Fu quello il momento della folgorazione: d'un tratto tutti i dubbi, tutte le paure sparirono e la felicità mi inondò come una piena. L'ipotesi della gravidanza diventò una smania di certezza: quel figlio l'avevo aspettato per anni e non sarebbe stato una sorpresa, ma l'inattesa realizzazione di un sogno. Signore, fa' che sia davvero incinta, pregai. Adesso ero certa che anche Amleto ne sarebbe stato felice. E per questo non volli dargli la notizia prima di averne la conferma: non volevo deluderlo.

Al mattino seguente, prima di entrare nel mio studio, andai nel reparto analisi a fare un test di gravidanza e al ritorno mi fermai al bancone del ricevimento per prenotare un appuntamento con il dottor Carli. Lo conoscevo abbastanza bene: era un anziano e bravissimo ginecologo che due volte alla settimana visitava privatamente al Poliambulatorio. L'impiegata mi usò un trattamento di favore: avrei potuto vederlo quel pomeriggio stesso, alle tre.

La mattinata mi sembrò interminabile e al momento del pranzo ero talmente emozionata che non riuscii nemmeno a mangiare. Dieci minuti prima dell'ora ero già davanti allo studio.

Il dottor Carli arrivò in perfetto orario e mi invitò a seguirlo.

Gli dissi subito che avevo un ritardo di oltre dieci giorni e sospettavo, anzi speravo, di essere incinta. Avevo fatto proprio quella mattina un test di gravidanza, nel Poliambulatorio. Aggiunsi che da qualche mese i miei cicli comparivano irregolarmente e con un flusso talmente scarso da sembrare una perdita ematica. No, non avevo disturbi: salvo, da un paio di settimane, qualche contrazione e un senso di gonfiore, di pesantezza nel basso ventre. Ma non erano i sintomi della gravidanza?

Mentre mi spogliavo, telefonò al reparto analisi per chiedere se era pronto l'esito del mio test. La mia speranza crollò quando abbassò il ricevitore: non ero incinta. Ma allora come si spiegava il ritardo? Non riuscivo a credere che il test fosse risultato negativo.

Al contrario, sin dall'inizio della lunghissima visita ebbi la certezza che qualcosa non andava. Forse fu l'impercettibile guizzo di sorpresa che colsi nello sguardo assorto del dottor Carli. Forse furono le sue particolareggiate domande sulle "perdite" degli ultimi mesi. O forse fu soltanto quel senso di irrequietezza e di allarme che avevo imparato a riconoscere come infallibile premonizione d'una catastrofe.

Al termine della visita Carli mi diede un colpetto affettuoso su una spalla. «Può rivestirsi, Irene.»

«Che cosa ho, dottore?»

«Probabilmente un fibroma» rispose dopo una breve esitazione.

«Dovrò... essere operata?»

«Sì, in ogni caso, perché è una massa di dimensioni piuttosto rilevanti.»

Si sedette alla scrivania e cominciò a scrivere. «Prima

dell'intervento dovrebbe sottoporsi ad alcuni accertamenti che le consiglio di eseguire addirittura nell'ospedale o nella clinica dove deciderà di farsi ricoverare.»

«Quali accertamenti?»

«Tac, ecografia pelvica, isterosalpingografia, stadiazione…» elencò in tono noncurante.

Le mie nozioni di medicina erano sufficienti per farmi capire che non soltanto Carli aveva dei sospetti sulla natura della massa tumorale, ma temeva che fossero già in atto delle metastasi.

«Vorrei farmi operare da lei, nel suo ospedale» gli dissi.

«Non ci sono problemi. Domattina stessa lei può farsi fare una richiesta di ricovero urgente, e mi interesserò personalmente per trovarle un posto nel mio reparto.»

«Dovremo rimandare di qualche giorno, perché ho dei problemi da…»

Mi interruppe: «Non rimandi troppo, Irene».

Mi congedai assicurandogli che si trattava soltanto di pochi giorni.

Non potevo farmi ricoverare prima della partenza di Simona per le vacanze e, dopo, il problema era trovare una spiegazione plausibile per Amleto: con quale pretesto avrei potuto giustificare sei o sette giorni di assenza, e proprio nel momento di decidere del nostro futuro?

Nemmeno per un istante pensai di raccontargli ciò che mi stava accadendo: tacere fu una decisione istintiva che assecondai senza chiedermene la ragione, senza metterla in dubbio, senza coglierne l'assurdità.

Lasciato lo studio del ginecologo, andai dal direttore sanitario dell'Igea: non potevo sospendere il mio lavoro per settimane senza spiegargliene il motivo. Mi fece gli auguri e mi assicurò che avrebbe provveduto lui a rimandare gli appuntamenti e ad affidare provvisoriamente i casi più urgenti all'altro logoterapista del Poliambulatorio.

Il 7 mattina aiutammo Emanuele a caricare nella macchina valigie, sacche, borse, pacchetti. «Sembra una trasferta del circo Togni!» rise Simona mentre sistemava la piccola Irene nel suo seggiolino, sul sedile posteriore. Davide, tutto eccitato all'idea di viaggiare davanti, accanto al papà, si era già allacciato la cintura.

Fino ad allora, coinvolta nei caotici preparativi per la partenza e presa dalla cura dei bambini, mi era stato facile deconcentrarmi dai miei problemi, giustificare i momenti in cui, mio malgrado, prendevo coscienza di ciò che mi aspettava. Il distacco da Davide, che comunque avvertivo con la tristezza di una perdita, veniva considerato da tutti il solo e comprensibile motivo dei miei soprassalti di cupezza e di silenzio.

Ma un'ora dopo la partenza, quando Amleto andò a lavorare e io rimasi sola in casa, la situazione mi si prospettò in tutta la sua urgenza: dovevo andare dal medico per la richiesta di ricovero, mettermi in contatto con il ginecologo Carli, escogitare qualcosa per giustificare con Amleto un'assenza di parecchi giorni... Ma *che cosa?*

Soltanto Simona avrebbe potuto aiutarmi, ma per la prima volta ero stata costretta a tenerla fuori dai miei problemi. *Antonia Pozzi.* Il pensiero dell'assistente sociale mi venne per una associazione di idee quasi automatica, perché era la sola amica che avessi dopo Simona, la sola persona con cui confidarmi. Telefonai subito al Centro accoglienza e mi dissero che avrei potuto trovarla dopo le quattro del pomeriggio.

Per ingannare il tempo, cominciai a fare un po' di ordine nel caos della casa. Cambiai le lenzuola di tutti i letti, misi nella lavastoviglie le tazze e i pentolini della colazione, passai l'aspirapolvere in soggiorno, rimisi al loro posto i giocattoli di Davide, appesi negli armadi i vestiti.

Amleto mi telefonò la prima volta a mezzogiorno, per chiedermi come stavo, e poi alle tre per dirmi che quella sera avremmo potuto cenare fuori. «Dobbiamo parlare» aggiunse prima di riattaccare.

Alle tre e mezzo uscii per andare al Centro. Antonia era appena arrivata e mi ricevette subito. Dopo averle raccontato di Davide e dell'entusiasmo con cui era partito per le vacanze, sentii che il coraggio di parlarle del mio problema stava vacillando. Per quanto amichevole fosse diventato il nostro rapporto, la sua età e il suo ruolo continuavano a incutermi una soggezione che rendeva difficile la confidenza totale.

Alla fine Simona, pur strillando e protestando, si sarebbe piegata alla mia volontà. Antonia invece, con materna pacatezza, si sarebbe rifiutata di diventare mia complice, cercando di convincermi a parlare con Amleto, e condividere con lui quell'orribile momento.

Prova lo stesso. Non hai altre possibilità. Alzai lo sguardo su di lei e subito lo abbassai. No, non ce la facevo.

Antonia mi strinse una mano. «Allora, che cosa devi dirmi?»

Quel gesto affettuoso, quell'interrogativo diretto mi fecero venire le lacrime agli occhi. «Ho bisogno del tuo aiuto» le dissi rialzando la testa. E tutto d'un fiato, prima che il coraggio mi abbandonasse di nuovo, le raccontai dell'intervento che avrei dovuto subire, delle analisi che mi erano state prescritte, dei miei timori. «Non sono pronta per parlarne con Amleto» aggiunsi subito.

Scosse la testa, profondamente turbata. «Non puoi affrontare questi momenti senza il suo aiuto...»

«Averlo vicino mi farebbe stare peggio... Mi sentirei preoccupata anche per lui, in colpa...» Era difficile spiegare qualcosa che non era chiaro nemmeno a me stessa. «L'aiuto che ti chiedo è trovare qualcosa che giustifichi sei, sette giorni di assenza: un incarico da svolgere per il Centro come volontaria, una incombenza che richieda un viaggio, una permanenza fuori Milano...»

«E dopo? Come giustificherai l'assenza dal lavoro, la convalescenza, le eventuali cure a cui dovrai sottoporti?»

«Dopo gli dirò tutto. Gli spiegherò perché...»

«Qualunque cosa gli dirai, si sentirà ferito per il tuo silenzio. Non potrà mai capire perché gli hai impedito di aiutarti e di condividere con te questi giorni difficili. Irene, rifletti.»

«L'ho già fatto. E sono venuta da te per chiederti il solo aiuto di cui ho bisogno. Devi soltanto dirmi sì o no.»

«Naturalmente sì» disse dopo qualche istante, con estrema riluttanza.

Concordammo l'unica spiegazione possibile, che io stessa avevo suggerito: un viaggio di circa una settimana per contattare di persona, in vari luoghi, quelle ragazze madri e quelle coppie che da tempo avevano interrotto i rapporti con il Centro d'accoglienza e con i loro bambini. Fu Antonia stessa a parlarne con Amleto, rendendomi meno difficile il mentirgli.

A me restò soltanto il disagio di inventare qualche particolare, rispondere ai suoi interrogativi, affrontare le sue ultime perplessità e resistenze ("non capisco", "Antonia non mi aveva mai parlato di questo problema", "perché tutto è stato deciso da un giorno all'altro?").

Il mio ricovero fu predisposto per la mattina del 9 giugno.

«Al tuo ritorno dovremo parlare» mi ripeté Amleto la sera prima.

«Lo so.»

«Hai scelto il momento peggiore per allontanarti da Milano.»

«Non l'ho scelto io.»

«Quando Simona ed Emanuele rientreranno dalle vacanze, noi dovremo già aver lasciato questa casa. Non sei la sola volontaria del Centro, e avresti potuto pregare Antonia di affidare a qualcun altro questo incarico. Proprio per domani avevo fissato un appuntamento per visitare un paio di case che...»

«Intanto puoi vederle senza di me...»

«Irene, proprio di questo volevo parlarti. Le sistemazioni provvisorie mi sembrano una inutile perdita di tempo come pure la ricerca di un monolocale o di un appartamentino ammobiliato. Dobbiamo scegliere *insieme* una casa definitiva, proiettandoci nella dimensione di una famiglia.»

«Ne parleremo al mio ritorno» dissi in fretta.

«Che cosa c'è? Se non sei pronta, devi...»

«Adesso devo preparare la valigia» dissi in tono scherzoso. Sotto al suo sguardo perplesso cominciai ostentatamente a tirare fuori dall'armadio vestiti e camicette. Solo quando si allontanò vi aggiunsi vestaglia, ciabatte e camicie da notte, le uniche cose che mi sarebbero servite in ospedale.

Trascorsi la prima giornata di ricovero sottoponendomi a tutti gli accertamenti diagnostici richiesti da Carli. Antonia mi restò vicina tutto il giorno. Era ancora con me quando, alle sette di sera, il ginecologo entrò nella mia stanza per dirmi che la massa tumorale era purtroppo di natura maligna. Si trattava di un carcinoma che però, nonostante le dimensioni, era ancora localizzato all'interno dell'utero. La speranza di poter scongiurare il peggio durò pochi istanti: con comprensione, con gentilezza, con sincero rammarico Carli aggiunse subito che avrebbe dovuto sottopormi a un intervento di isterectomia totale.

Restai in ospedale fino al 15 giugno: sei giorni trascorsi in uno stato di torpido distacco dalla realtà. Non avevo alcun pensiero, alcuna percezione: neppure quella del dolore fisico. Alla sera Antonia veniva a trovarmi, attivava il mio telefonino e mi esortava a chiamare Amleto. Gli parlavo brevemente come in trance.

Ero *consapevole* dei problemi che avrei dovuto affrontare, ma la mente era come paralizzata da una provvida anestesia.

Ne uscii bruscamente il giorno delle dimissioni: ero seduta sul letto aspettando che Antonia venisse a prendermi quando la porta si aprì e vidi entrare Amleto con un infermiere che spingeva una carrozzella. «Ho saputo soltanto adesso quello che è successo» Amleto disse con voce inespressiva. Anche il suo viso non esprimeva alcuna emozione.

Amleto prese la mia valigia piena di inutili vestiti e l'infermiere mi guidò fino al parcheggio, davanti alla macchina di Amleto. Mi aiutò a salire, mi fece gli auguri e infine chiuse la portiera.

Amleto mise in moto e partì. Inutilmente aspettai che dicesse qualcosa. Quando quel silenzio divenne insopportabile, sussurrai schiarendomi la voce: «Mi dispiace».

«Anche a me.» Staccò la mano destra dal volante e si allungò dalla mia parte. Per un istante credetti che volesse circondarmi una spalla, o cercare la mia mano. Invece allungò la cintura e me la porse. «Allacciati.»

Quella premura impersonale, quel tono di voce cortese mi ferirono più di un insulto. Perché era venuto a prendermi? Che cosa voleva dirmi? Che cosa voleva che io gli dicessi? Dove mi stava portando? Non sapevo niente, e quella incertezza mi tolse il respiro. Sentii una fitta di nausea e di panico serpeggiare in mezzo allo stomaco e salire fino alla gola. Abbassai il finestrino e sporsi in fuori la testa inspirando a fondo. *Calmati. Adesso passa.*

Amleto rallentò e accostò sulla destra, nel breve spazio tra un'edicola e un platano, e si girò verso di me. «Vuoi scendere a fare due...»

«No.» Dopo qualche istante chiusi il finestrino. «Puoi andare, sto meglio.»

Reclinai la testa sul sedile e chiusi gli occhi. Portami dove vuoi, decidi quello che credi e parla quando ti pare, gli dissi in silenzio. In quel momento lo detestavo.

Quando riaprii gli occhi, eravamo davanti alla casa di Emanuele e di Simona. Lo guardai interrogativamente e Amleto fraintese. «Fino al loro ritorno, potremo restare qui» disse.

«E dopo?» Poiché non rispondeva aggiunsi: «Non posso più avere figli: ho toccato il fondo oppure no? Ho bisogno di saperlo *ora*. Se hai deciso di lasciarmi ti capisco, e non serve che mi dia il tempo per prepararmi al distacco».

«Da due ore mi sento in caduta libera, Irene, e ho paura che non toccherò mai il fondo. Penso a quello che hai fatto, e...» Mi guardò e subito abbassò la testa, come se non sopportasse di vedermi.

Ti sta lasciando. È la fine. «Non volevo coinvolgerti» dissi in fretta. «Ero annientata da quello che mi stava succedendo.»

«Stava succedendo a *noi*. Avrei potuto perdonarti qualunque cosa, persino un tradimento, ma qui non c'è niente da perdonare perché non è una colpa sentirsi soli e volere restare soli in un momento come quello che hai passato.»

«Ero spaventata, ferita a morte!»

«E hai recitato e mentito per non *coinvolgermi*. È questo l'essere in due, sempre? Mi sembra di vederti per la prima volta: non ti riconosco più. Mi hai tolto la fiducia, la sicurezza, persino i ricordi. Ho bisogno di tempo, Irene.»

Le stesse parole di Antonio. Di Tommaso. *Hai fallito un'altra volta.* La nausea mi salì alla gola. Spalancai la portiera e scesi dalla macchina. Vidi sopraggiungere un taxi e attraversai la strada di corsa, agitando le braccia.

EPILOGO

Non è mai il caso a riunire due amanti.

XXII

Senza l'aiuto di Livia De Zan non sarei mai riuscita ad avere un approccio corretto con la realtà di quanto era accaduto né a proiettarmi oltre il trascorrere di ciascuna giornata.

Fu Antonia a chiamarla a casa sua, dove mi ero fatta portare dal taxi, e sei mesi dopo potevo capire che Livia era stata un'ottima psicologa perché sin dal primo istante si preoccupò di non apparirmi mai in questo ruolo. I nostri incontri, pur frequenti, non erano mai vincolati a appuntamenti o orari: erano le visite di una buona amica. Non mi fece mai domande, non forzò mai il mio silenzio.

Ma giorno dopo giorno riuscì a trasmettermi i messaggi giusti. Niente è irreparabile. Solo la morte è una tragedia. Se vorrai un figlio, potrai adottarlo. Rifletti sui tuoi comportamenti. Non confondere gli sbagli con i fallimenti. Non fare terra bruciata dietro di te. Non chiudere delle porte che ti sarebbe doloroso non potere più aprire.

Livia fu anche un'abile regista di comportamenti: nessuno mi rimproverò, mi confortò, mi diede dei consigli. Quando Simona tornò dalle vacanze ero ancora a casa di Antonia. Venne subito a trovarmi, e il suo lungo abbraccio fu l'unico, silenzioso modo, per dirmi "ti sono vicina", "ti voglio bene", "fatti coraggio".

Come Livia mi aveva suggerito, ripresi al più presto la vita normale. Alla fine di giugno mi trasferii in un residence in attesa di trovare una vera casa e un mese dopo l'intervento iniziai il ciclo di irradiazioni che il ginecologo Carli mi aveva suggerito "in via del tutto precauzionale". Avrei ripreso il lavoro a terapia finita: e per non trascorrere le giornate oziosamente ricominciai a dividerle tra il Centro d'accoglienza e la casa di Simona, giunta ormai all'ultimo mese di gravidanza.

Sapevo che prima o poi avrei rivisto Amleto: l'opera di volontariato, il legame con Davide, l'affetto per Emanuele e Simona facevano parte della vita di entrambi, e gli sforzi per evitare di incontrarlo sarebbero stati pateticamente inutili, oltre che imbarazzanti per le persone che ci volevano bene.

La regia di Livia, ne ero certa, aveva condizionato anche i comportamenti di Amleto. Ai molti tentativi che inizialmente aveva fatto per vedermi era subentrato un silenzio preannunciato da due righe affettuose: non voleva turbarmi o forzarmi la mano, ma mi era comunque vicino.

Lo rividi per la prima volta al Centro: praticamente ci incrociammo davanti al portone mentre lui stava entrando e io uscendo con Livia. Benché avessi previsto l'arrivo di quel momento, la sorpresa mi immobilizzò e lo fissai incapace di aprire bocca. Vidi che anche lui mi stava fissando, con uno sguardo esitante e ansioso. Capii che da quel momento dipendeva l'unica possibilità di ristabilire un rapporto e che toccava a me non comprometterla per sempre.

Prima che l'imbarazzo diventasse insuperabile, gli tesi la mano e gli dissi in gran fretta tutte le cose che si dicono a un buon amico rivisto per caso: sto bene, ho sempre tue notizie da Davide, mi sono trasferita in un residence, buon lavoro, a presto...

E il rapporto si ristabilì, consentendoci di frequentare le stesse persone e gli stessi luoghi senza prospettarci come un incubo gli inevitabili incontri. La presenza di Livia mi fu di enorme aiuto, e sospettai che avesse organizzato con cronometrica precisione quel nostro incrociarci davanti al Centro, pronta a sostenermi se avessi avuto una reazione troppo violenta.

Solo più tardi questo sospetto ebbe una conferma. Livia mi spiegò che troncando bruscamente ogni rapporto con Amleto non sarei mai riuscita a vedere chiaro in me stessa perché avrei confuso il vuoto della sua sparizione per nostalgia, i ricordi per amore, il desiderio di rivederlo per impossibilità di vivere senza di lui.

Ancora una volta dovetti darle ragione. A quel primo incontro ne seguirono altri e Amleto tornò ad essere una presenza costante della mia quotidianità. Il solo tabù, tacito e inviolabile, era il nostro passato. Potevamo parlare, scherzare, persino restare da soli, ma l'apparente disinvoltura era disseminata di paletti che dovevamo acrobaticamente schivare: era vietato accennare alla mia operazione, alla mia salute, all'amaro litigio che ci aveva divisi, ai ricordi del passato, a qualsiasi argomento che potesse sembrare una proiezione nel futuro.

Non sapevo dove abitasse né desideravo saperlo. E tutti rispettavano rigorosamente questo tabù.

Il figlio di Simona nacque il 18 agosto. Emanuele mi chiamò dal cellulare, mentre accompagnava la moglie in clinica, e li raggiunsi subito. Ero con Simona quando l'infermiera portò nella stanza il suo bambino per la prima poppata, e mi strinse il cuore l'ombra di disagio e di pena che oscurò lo sguardo della mia amica.

Non volevo guastare quel momento bellissimo, e così infransi il tabù dicendole che stavo bene e che l'impossibilità di avere un figlio mio non mi appariva più un dramma. Quello era un momento bellissimo anche per me. Ero felice per lei e avrei amato il suo bambino come Davide, come Irene, come il figlio che un giorno, forse, avrei potuto adottare.

Per la prima volta le parlai della fine della storia con

Amleto. E lei mi ascoltò in silenzio sino alla fine, senza fare commenti, senza darmi consigli.

All'inizio di settembre l'inquilino della mia mansarda mi propose di acquistarla: mi offriva un buon prezzo e accettai subito. Con il ricavato di quella vendita e un piccolo mutuo di cinquanta milioni comprai un piccolo appartamento già ammobiliato in una vecchia palazzina poco distante dal Poliambulatorio. Il balcone del soggiorno si affacciava su una piazzetta con due grandi alberi di tiglio.

Il trasferimento nella nuova casa avvenne all'inizio di ottobre, mettendo fine ai disagi del residence e a una sensazione di provvisorietà che stava diventando insopportabile. Un mese dopo fu battezzato il piccolo Marco. Il padrino fu Amleto, la madrina Antonia.

Simona volle organizzare il pranzo in casa e trascorremmo una giornata intima e allegra allo stesso tempo. Io e Amleto fummo gli ultimi ad andarcene. Erano le dieci, e lui si offrì di accompagnarmi. Solo quando fummo in macchina, prima che mettesse in moto, gli dissi che da un mese avevo lasciato il residence. Incautamente, senza riflettere, aggiunsi che avevo acquistato una casa.

«Lo sapevo. E da un mese aspettavo che me ne parlassi» Amleto disse incrociando le mani sul volante.

«Siamo così intimi?» chiesi con voce leggera.

«Questo dovresti dirmelo tu.»

D'un tratto tutti i paletti crollarono. «Quando sei venuto a prendermi all'ospedale, hai detto che non mi riconoscevi più, che ti sembravo un'estranea.»

«Ero furioso.»

«E io disperata.»

«Ma non mi hai permesso di consolarti, di rassicurarti, di restarti vicino!» gridò con voce vibrante di rancore.

«L'amore per te era la sola cosa che mi era rimasta. Ero certa che mi avresti lasciata, ma in quel momento non ero pronta per un'altra perdita. E nemmeno per vedere la tua delusione, la tua sofferenza.»

«Pensi che ti avrei lasciato perché non puoi avere dei figli?»

«Lo hai fatto. Con eleganza e in gran fretta, prendendo le distanze dall'estranea, dalla donna sterile.»

Sollevò le mani verso di me e per un istante temetti che volesse picchiarmi. Le abbassò subito. «Se è questo che pensi, è davvero la fine.» Mise in moto e mi accompagnò a casa in silenzio.

Non lo vidi più. Da quel giorno una occulta regia (di Livia, di Antonia, di Emanuele, di Simona) eresse una barriera di accorgimenti per evitare che potessimo trovarci nello stesso luogo e nelle stesse ore.

Il 20 dicembre Simona mi invitò a trascorrere la vigilia di Natale a casa sua. Non parlò del giorno dopo, e capii che sarebbe toccato ad Amleto essere invitato a pranzo.

Accettai l'invito. «Per la notte di San Silvestro e il giorno di Capodanno non avrai l'imbarazzo dei turni perché starò con i bambini del Centro» dissi in tono noncurante.

L'autocontrollo che Simona si era imposta fino a quel momento cedette. «Al diavolo Livia con la sua psicologia! Sono la tua migliore amica, e voglio dirti che mi sono rotta le palle con questo giochino da strateghi per tenere separati due deficienti. Tu nel tuo delizioso bilocalino a recitare la parte della single, lui bivaccato nel suo grande appartamento vuoto nella inconfessabile speranza di arredarlo con te... E noi che facciamo? Assecondiamo, stiamo zitti, *vi diamo tempo*.»

«Di quale appartamento parli?»

«Di quello che Amleto ha comperato per sua moglie e tutti i bambini che si propone di...»

«Non posso avere bambini.»

«Ma puoi avere dei figli. Il vero problema è che Amleto ha il terrore di essere respinto.» Mi guardò negli occhi. «Vuoi che lo inviti la sera di Natale?»

«No!» gridai. «Ho paura anch'io… Forse qualcosa si è guastato, forse…»

«Andate all'inferno. Tutti e due.»

Arrivai al Centro nel primo pomeriggio del 31 dicembre. Nevicava da due ore, ma per la prima volta il silenzio ovattato e il candido volteggiare dei fiocchi acuivano la mia malinconia. Un anno prima, a quell'ora, stavo entrando in albergo con Amleto travestita da alpinista dalla doppia vita… Percorsi il breve tratto dal parcheggio all'ingresso ripensando a quei giorni, e ricacciai con forza la speranza di vedere Amleto sbucare di fronte a me con il suo sorriso largo e allegro. In un anno avevamo avuto tutto e perduto tutto.

Ma quando entrai nella grande stanza affollata di lettini, di seggioloni e di box la tristezza passò. C'erano diciotto bambini da curare, e in quei giorni di festa Antonia era riuscita a trovare solamente due volontari oltre a me. Li conoscevo bene: erano Paola e Christian, due bravi ragazzi che a differenza di molti altri collaboravano con Antonia per un autentico slancio di solidarietà e si curavano dei piccoli tenendoli in braccio, parlandogli, facendoli giocare.

Fui felice di vederli. Christian aveva portato una bottiglia di champagne, ma potemmo brindare soltanto all'una di notte, quando l'ultimo piccolo si addormentò. Andammo a sdraiarci nelle nostre brande mezz'ora dopo, estenuati da undici ore di lavoro ininterrotto.

Un anno prima, a quell'ora, io e Amleto eravamo già tornati nella nostra suite dopo il cenone di mezzanotte.

Ricacciai le lacrime. *Avanti, confessalo. Per tutte queste ore hai tenuto il cellulare in una tasca sperando che Amleto si facesse vivo.*

Anche io avrei voluto chiamarlo, mi risposi, ma non ci sono riuscita. Ero bloccata dalla paura della sua paura. Rivolevo Amleto, e non un uomo esitante e deluso. Mi sentii svuotare dalla tristezza. Chiusi gli occhi ma rimasi sveglia a lungo. Erano le tre quando finalmente sentii il sonno arrivare.

Fui risvegliata poco dopo dalla voce di Christian. Si stava dirigendo verso di me con una pila in mano, per non svegliare i bambini. Mi sollevai sulla branda. «Che cosa è successo?»

«C'è qualcuno che picchia alla finestra del cucinino» sussurrò. «Non hai sentito?»

Si era alzata anche Paola. «Chi può essere a quest'ora?» Ci dirigemmo verso la porta, Christian davanti e noi due passi dietro.

Era Amleto, bianco come un omino di neve. La pila illuminò i suoi piccoli occhi allegri. «È tardi per un brindisi?» disse porgendo a Christian una bottiglia di champagne.

Si avvicinò a me. «La mia macchina si è guastata all'altro capo della città e non sono riuscito a trovare un taxi. Spero che non sia troppo tardi, Irene.» Questa volta lo disse con una voce diversa, ma quasi intimidatoria. Non mi avrebbe permesso di respingerlo.

«Ti aspettavo» risi.

Rise anche lui. «Senza questa certezza sarei crollato un chilometro fa…» Allungò le braccia e mi strinse contro il suo corpo fradicio di neve.

Il cono di luce si allontanò e restammo abbracciati in silenzio, al buio, sapendo che quei momenti sarebbero diventati il ricordo più dolce della nostra vita.

Indice

PARTE PRIMA

PARTE SECONDA

Epilogo

I Libri
di
Maria Venturi

Disponibili anche in edizione economica

Finito di stampare nel mese di giugno 2002
presso il Nuovo Istituto Italiano d'Arti Grafiche
Bergamo

Printed in Italy

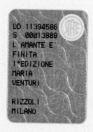